La Communication Orale

- Aux concours et aux examens
- Dans la vie professionnelle

R. Charles, C. Williame

UNIVERSITY OF BRISTOL
SCHOOL OF EDUCATION
35 BERKELEY SQUARE
BRISTOL BS8 1JA, U. K.
ENGLISH LANGUAGE SUPPORT UNIT

SOMMAIRE

© Editions Nathan, 1988
ISBN - 2-09-177 658-0

Mode d'emploi

Chaque double page fonctionne de la façon suivante :

à gauche

Une page descriptive ou de méthode. Elle présente un aspect de la communication orale.

à droite

Une page repère. Elle apporte des informations complémentaires et propose quelques exercices.

Un repérage par situation de communication.

Quelques lignes d'introduction présentent l'unité de la page.

Un titre annonce le sujet de la double page.

LES TECHNIQUES
LE TÊTE A TÊTE
PARLER EN RÉUNION
FACE A UN PUBLIC
LES AIDES
ANNEXES

Contester, dire non

Dans les débats ou les discussions il est fréquent que l'on ait à s'opposer à ses interlocuteurs. On peut être amené à corriger, à minimiser ou à s'opposer.

▲ Corriger si l'on n'a pas été compris

— C'est dire non lorsque l'interlocuteur a mal compris ce que l'on a dit, ou lorsque volontairement il déforme des propos pour les disqualifier. Dans ce cas on rétablit le sens de son intervention.

— Comment faire ?
a) Dans un premier temps nier fermement la reformulation de l'interlocuteur,
b) puis repréciser en le formulant clairement le sens de son intervention, ou préciser en le distinguant un aspect particulier.
Exemple : Bien sûr que non ! ce que je voulais dire, pour être plus précis, c'est que...

▲ Minimiser, déplacer l'objet du problème

— Parfois la position est difficilement défendable. Des faits donnent tort. On ne peut espérer persuader ses interlocuteurs. On reste sur la défensive. On reconnaît les faits tout en minimisant leur importance.

— Comment faire ?
a) Minimiser les faits :
• on admet les faits à un niveau particulier,
• on les refuse à un niveau général,
• on prend l'interlocuteur à témoin,
• on lui propose un contre-exemple.
Exemple : On peut en effet citer le cas de X. Mais il reste tout de même marginal. Ce n'est pas représentatif de l'ensemble. D'ailleurs, si vous le voulez bien, parlons sérieusement, il serait malhonnête de généraliser. Je connais Y...
b) Déplacer l'objet du problème :
• on reconnaît brièvement le fait,
• on propose directement une explication ou une cause générale.

▲ S'opposer si l'on est en désaccord

— Il est des sujets sur lesquels on ne peut porter un jugement définitif. On reconnaît à l'interlocuteur la validité de certains de ses arguments, sous peine d'être taxé de mauvaise foi, avant de critiquer sa position ensuite.

— Comment faire ?
a) On concède un des arguments.
b) On oppose un argument contraire.
c) On insiste (par exemple en l'illustrant) sur l'argument contraire.
Exemple : Vous venez de dire que... et je dois l'admettre, mais reconnaissez toutefois que... que... et que...

22

QUELQUES FORMULES A UTILISER

Corriger

— Ce n'est pas tout à fait ce que je voulais dire. En fait, pour mieux me faire comprendre, je tiens à préciser que...
— Vous faites erreur ! Le sens de mon propos n'est absolument pas celui que vous donnez. J'ai dit que...

Minimiser

— Même s'il est vrai que..., il n'en reste pas moins vrai que...
— Il est exact que..., mais on peut raisonnablement se demander si...

Faire des concessions

— Pour ne pas heurter de front son adversaire, il est habile de reconnaître qu'il peut avoir raison en reprenant son argument. On fait ainsi une concession avant de poursuivre sa propre argumentation.
— Formules concessives :
Certes..., mais...
Bien entendu..., mais...
L'intérêt de... est incontestable, mais il reste à se demander si...

Les oppositions

Les oppositions peuvent être introduites par les expressions suivantes :

alors que	loin que
alors même que	bien loin que
au lieu que	même si
tandis que	si même
bien que	quand bien même
encore que	quoique

Les gestes du refus

Le coup de poing

L'index dressé

La main-ciseaux

Paumes vers l'extérieur

ENTRAÎNEZ-VOUS

**1. Vous participez à un débat. Un interlocuteur en désaccord avec votre point de vue, reformule de manière erronée votre propos.
Quelle réaction allez-vous avoir :
— corriger
— minimiser
— vous opposer**

**2. Au cours du même débat, vous avancez une idée. Un participant la contredit par un exemple qui ne peut être discuté.
Quelle réaction allez-vous avoir :
— corriger
— minimiser
— vous opposer**

23

Cette page expose une méthode ou décrit des procédés destinés à améliorer les prises de parole.

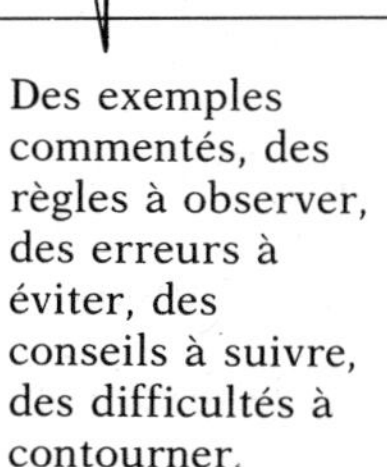

Des exemples commentés, des règles à observer, des erreurs à éviter, des conseils à suivre, des difficultés à contourner.

Un exercice permet d'approfondir le sujet. Les corrigés figurent page 154.

La voix

Avant même de comprendre le sens des mots, l'auditoire est charmé ou irrité par le son de la voix. Pour être conscient de son impact, il faut comprendre son mécanisme. Pour maîtriser les effets de la voix, il faut travailler le placement, le volume, le débit, l'articulation et l'accentuation.

▲ Pour se faire entendre

— Le mécanisme de la voix : son placement.
Le son naît dans le larynx. Le souffle en passant fait vibrer les cordes vocales et produit une note. La note est transmise par le pharynx, la bouche et le nez : trois résonateurs. La bonne qualité de la voix dépend de l'équilibre réalisé entre ces trois résonateurs. Ainsi :
une résonance trop pharyngée donne une voix sourde, caverneuse,
une résonance trop buccale donne une voix rauque, autoritaire,
une résonance trop nasale donne une voix fluette, nasillarde.

— Le volume
Pour se faire écouter, il faut d'abord se faire entendre, une voix trop faible exige de l'auditoire un effort d'attention tel que peu à peu il finit par ne plus écouter. De la même façon, une voix trop forte qui provoque peut-être un début de son intervention un effet de surprise en vient à fatiguer l'auditoire.

▲ Pour se faire comprendre

— L'articulation
Bien articuler consiste à détacher et enchaîner correctement les syllabes. C'est le contraire de bredouiller ou d'avaler les mots. L'articulation donne de la netteté à la parole.

— Le débit c'est la vitesse à laquelle l'orateur parle. Un débit lent, calme confère de la gravité aux propos. Un débit précipité signifie agitation, nervosité. Cependant la régularité trop respectée du débit engendre la monotonie. Varier les changements de vitesse stimule l'intérêt de l'auditeur.

— Les pauses et les silences sont des arrêts plus ou moins longs. Ils constituent une sorte de ponctuation orale. Ce sont des moyens efficaces quand ils sont maîtrisés pour retenir ou attirer une attention défaillante.

- Il y a arrêt sur un point important : l'auditoire comprend que le point est essentiel
- Il y a arrêt après une question : l'auditoire comprend que quelqu'un doit prendre la parole et répondre.
- Il y a arrêt au milieu d'une phrase : l'auditoire regarde et cherche à comprendre ce qui se passe.

— L'accentuation, l'intonation
Accentuer, c'est insister sur une syllabe, sur un mot. Mettre l'intonation, c'est changer la hauteur de la voix. En jouant sur ces deux éléments la personne traduit des sentiments. *Exemple* : on peut prononcer un bonjour attendri, poli, enthousiaste, lassé, etc. La personne exprime une puissance de conviction. *Exemple* : « ce POINT est très intéressant » ou « ce point est TRÈS intéressant ».

LES PIÈGES DE LA PRONONCIATION

Le problème du « h » aspiré

Seuls quelques vrais « h » aspirés sont recommandés avec certains mots : les (h)andicapés - les (h)aricots - les (h)éros, avec les sigles : le (h)LSD - le (h)HLM - le (h)FBI, avec des mots que l'on veut charger affectivement : la Honte, la Haine.

Le problème des liaisons

Faire une mauvaise liaison produit un effet ridicule de surchage. Omettre toute liaison produit un effet argotique. *Exemple* : « Quan(d) i m'on(t) appris ce qu'i en était, j'suis resté tou(t) étonné ».

— La règle est la suivante : il faut relier les mots unis par le sens à l'intérieur d'un même groupe :
les + nom : les oiseaux
adjectif + nom : le petit enfant

— Mais on ne lie pas le nom et l'adjectif quand celui-ci est placé après, *exemple* : un orateur / ennuyeux
On ne fait pas non plus la liaison dans les noms composés au pluriel : *exemple* : les pinces / à vélo - les machines / à sous

Analysez votre voix

Enregistrez-vous au magnétophone. Écoutez-vous et cochez pour chaque rubrique l'adjectif qualificatif qui s'applique le mieux à votre choix.

Registre / Timbre : aigu ☐ grave ☐ médian ☐
Débit : trop rapide ☐ trop lent ☐ correct ☐
Articulation : confuse ☐ peu distincte ☐ claire ☐
Accent local : prononcé ☐ léger ☐ inexistant ☐
Volume : trop faible ☐ trop fort ☐ convenable ☐

ENTRAÎNEZ-VOUS

1. Poser sa voix
La voix se fatigue et lasse l'auditoire si elle est placée dans un registre trop aigu ou trop grave. Comment faire pour découvrir son véritable timbre :
— Respirer à fond.
— Emettre le son a de toutes les manières possibles sans se contracter, sans nasiller.
— Choisir la tonalité la plus aisée, la plus sonore.
— Adopter ce son et lire un texte sur cette tonalité.
— S'exercer à ne pas s'éloigner de cette note médium, elle deviendra votre registre normal.
Autre technique :
— Emettre un son do très bas et remonter jusqu'au fa, on obtient un son médian.
— Chantonner des phrases entières sur ce registre.
— Rester dans les graves si vous êtes contraint d'élever la voix.

2. Mieux articuler
Apprenez par cœur les phrases ci-dessous. Dites-les d'abord lentement puis plus vite et plusieurs fois. Pour vous forcer à articuler, placez un crayon en travers de la bouche. Pour franchir les obstacles, prononcez avec conviction.
— Voici six chasseurs se séchant, sachant chasser sans chien.
— Le fisc fixe exprès chaque taxe fixe excessive exclusivement sur le luxe et l'exquis.
— Cinq capucins portaient sur leur sein le seing du père.
— Ciel si ceci se sait, ces soins sont sans succès.
— Dis-moi gros gras grand grain d'orge, quand te dégros gras grain d'orgeras-tu ?

Le regard

Le regard établit le contact et tisse une sorte de fil invisible entre ceux qui se parlent et s'écoutent. S'il est utilisé instinctivement en privé, le regard reste trop souvent méconnu et sous-employé dans les relations sociales ou professionnelles.

▲ Le regard mobilise l'attention

Comment procéder ?

— Avec un petit groupe ou un groupe moyen la technique est simple. Le contrôle d'écoute et de compréhension peut se faire par un échange de regards individuels. Si l'orateur regarde quelqu'un et que cette personne ne lui rend pas son regard, l'orateur cherche un participant plus disponible. Son attention fixée sur une seule personne risquerait de provoquer une gêne.

— Si le groupe est grand, il est impossible de vouloir établir un contact avec chaque participant. Les mouvements du regard englobent davantage de personnes. Il faut que celles-ci aient l'impression d'être regardées.

▲ Le regard crée la communication

— Il arrive parfois que l'orateur ait à affronter un groupe hostile. Le regard modifie sensiblement le rapport de forces. En effet si l'orateur regarde chacun des participants avec attention, chaleur et disponibilité, il parvient à faire naître chez ceux-là même qui au début étaient tentés de devenir des opposants ce rôle d'auditeur attentif et disponible.

— Comment procéder ?
Lorsqu'il envoie une information, celui qui parle vise une personne. C'est à elle qu'il s'adresse. Son regard accroche, sans appuyer, successivement les différents participants. Ceux-ci se sentent alors impliqués, présents dans la parole de l'orateur.

— Autre point positif
Admettons que celui qui parle soit victime d'un trou de mémoire, il doit savoir que s'il quitte le groupe des yeux, la situation ira en s'aggravant. En revanche, s'il maintient le contact avec l'auditoire, l'attente du groupe, son état de tension lui inspireront immédiatement une suite, la reprise de son discours.

▲ Le regard offre une image de soi

— Lorsqu'on est amené à dire quelque chose à quelqu'un et que cette personne a un regard fuyant, de multiples interprétations viennent à l'esprit. Elles sont toutes négatives. La personne est taxée de menteuse, d'hypocrite ou de méprisante.

— Lorsqu'un conférencier se plonge dans ses notes ou qu'il regarde obstinément ailleurs plutôt que vers son auditoire, l'auditoire se sent insulté.

— La peur est fréquente en situation d'expression orale car regarder signifie aussi être regardé et être jugé. Cette peur issue d'habitudes lointaines acquises au cours de l'éducation, le fameux « baisse les yeux quand je te parle » reste très présente inconsciemment. Il est important de la surmonter car à l'inverse, regarder quelqu'un en face est associé à des qualités de franchise et d'honnêteté.

LE LANGAGE DES REGARDS

Analysez votre regard

— Savoir regarder est le signe de l'équilibre, de la sérénité intérieure. Le regard assuré entraîne l'adhésion du groupe. Le regard apeuré accentue le manque de communication.

— Quand vous serez en situation de prise de parole en public, demandez à une personne de votre entourage d'observer la qualité de votre regard :

Sa mobilité : figé ☐ trop mobile ☐ direct ☐

Son expression : vide ☐ traquée ☐ intense ☐

Sa direction : le sol ☐ les notes écrites ☐ l'auditoire ☐ le ciel ☐

ENTRAÎNEZ-VOUS

Le regard et le regard associé aux gestes et aux mimiques constituent à eux seuls un langage.
Observez les neuf dessins ci-dessous. Voici 9 mots que l'on pourrait leur appliquer. A vous de faire correspondre un mot à chaque croquis.

Les mots :
moquerie - refus - dénigrement - recueillement - astuce - peur - autorité - mauvaise humeur - sympathie.

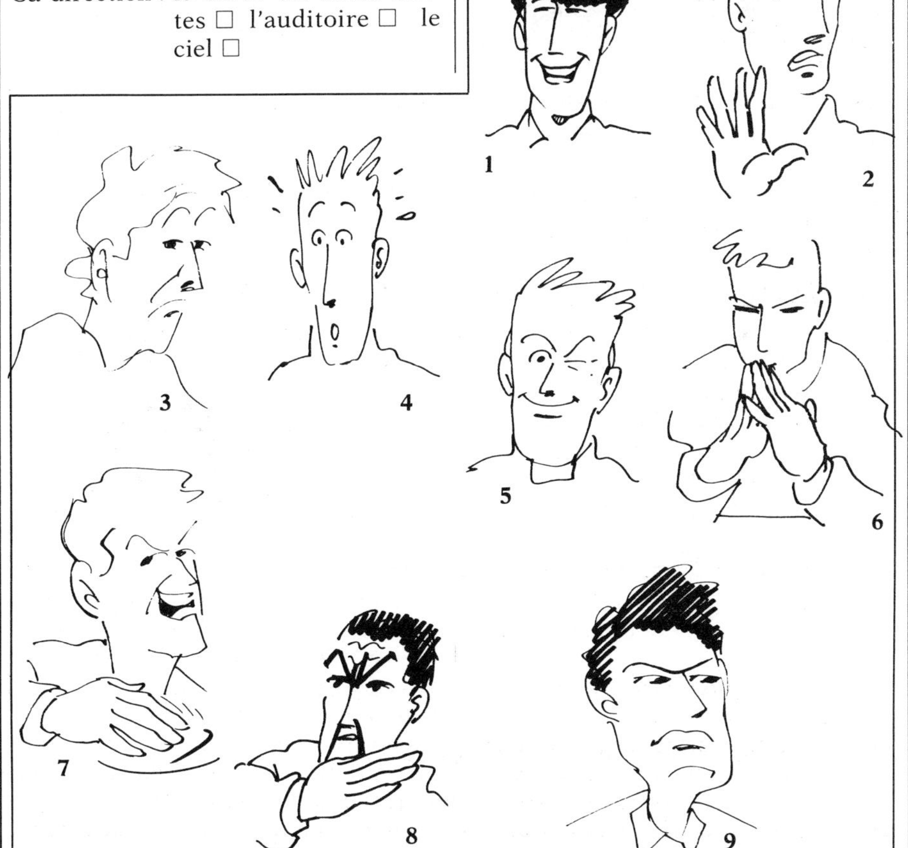

Les gestes (1)

Des travaux récents ont montré que dans un message oral, les mots comptent pour 7 %, l'intonation pour 38 % et la gestuelle pour 55 %. Certains gestes ont un rôle d'information. D'autres ponctuent la parole.

▲ Les gestes transmettent un message

La parole n'est pas toujours nécessaire. Le geste peut à lui seul signifier quelque chose. Certains gestes sont codés. Il en va de même pour certaines expressions du visage, certaines mimiques.

Un geste codé

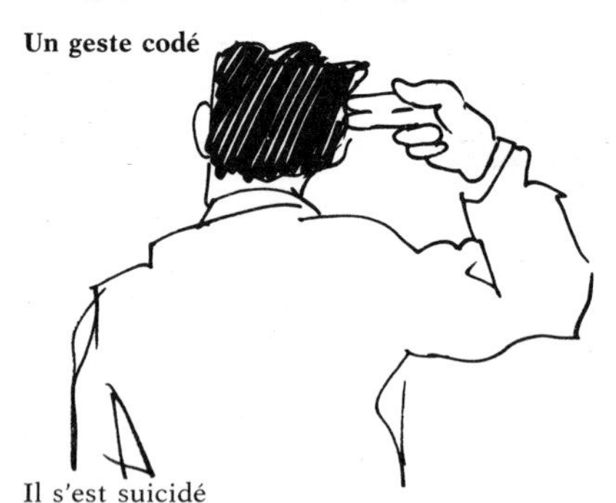

Il s'est suicidé

Une mimique codée

Attention, danger !

▲ Les gestes répètent l'information

Certains gestes instinctifs accompagnent la parole et la répètent. Ils ponctuent les propos. Quand une personne indique une direction à prendre, ses gestes miment le trajet à parcourir.

pour dire « tout droit »

pour dire que « cela ne tourne pas rond »

▲ Les gestes appuient le discours

Au cours d'une conversation animée, d'un débat, les intervenants passent par différentes phases : ils ont envie de convaincre à tout prix et ils emploient tout l'arsenal des gestes de la persuasion.

LE LANGAGE DES GESTES

Les gestes qui appuient le discours

L'index pointé : c'est un geste agressif, il exprime une menace.

Les paumes ouvertes expriment le désir de communiquer (contraire : bras croisés).

La pince pouce-index accompagne une démonstration, exprime un désir de clarté.

La main-serre signifie le désir de dominer, de prendre possession.

ENTRAÎNEZ-VOUS

Le langage des gestes.

Voici la grille d'observation des gestes remplie lors d'un débat télévisé sur l'avenir du cinéma français. Trois personnes étaient présentes : A, B, C.

	A	B	C
	X		
		X	
	X		
		X	
			X
			X
			X
	X		
		X	X

D'après les gestes cochés

- **Qui était l'invité le plus timide ?**
- **Qui était le plus ouvert à la discussion ?**
- **Qui était le plus agressif ?**

Les gestes (2)

Les gestes peuvent tout à la fois servir l'orateur quand ils assurent la communication et le desservir quand ils le trahissent. Avoir conscience de sa gestuelle en favorise la maîtrise.

▲ Les gestes traduisent des émotions

Devoir parler en public provoque souvent le trac responsable de gestes non maîtrisés. Ils peuvent être désordonnés ou indéfiniment reproduits (les tics). Ils peuvent indiquer un état de tension, de fermeture psychologique. *Exemple :* bras croisés, pieds rentrés vers l'intérieur...

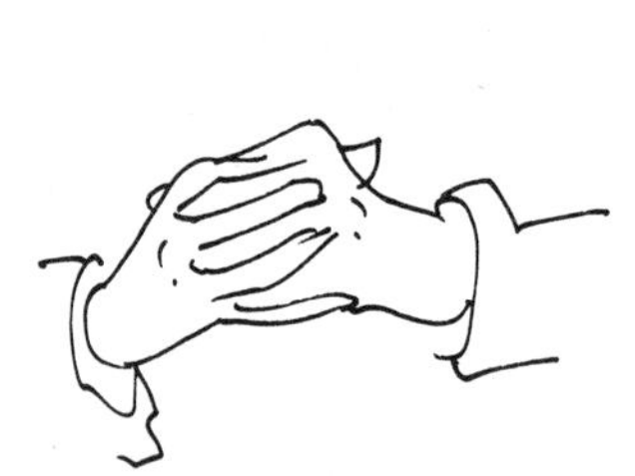

Les mains croisées expriment parfois une attitude « pare-choc », on se sent exposé, vulnérable.

Le geste de réajustement est un geste barrière. Il traduit le malaise, la peur d'être agressé.

Le geste d'auto-contact traduit l'ironie ou la supériorité.

▲ Les gestes expriment, accompagnent des états intérieurs

La perplexité.

La main semble isoler la personne du monde extérieur. C'est la concentration.

La bouche vient s'appuyer contre les mains jointes. C'est la réflexion.

L'inquiétude

LE LANGAGE DES GESTES

Les gestes qui parasitent parfois la parole.

L'intérêt de l'exposé passe au second plan. C'est d'abord les gestes et les attitudes qui sont perçus par l'auditoire.

Les gestes assurent ou coupent la communication

Le regard, le sourire, certains gestes des mains, la position d'ouverture maintiennent le contact, la présence. A l'inverse, d'autres gestes comme ceux de lever les yeux au ciel, d'avoir un visage et une attitude corporelle de fermeture marquent la rupture de la communication.

Le jeu de lunettes indique un changement de conversation, une rupture du contact établi.

Le regard baissé, l'absence de sourire coupent la communication, ils marquent le trac.

Sachez interpréter des gestes

Certains gestes sont associés à des phases de la vie courante. Observez les dessins ci-dessous et faites correspondre à chacun d'eux l'une des phrases suivantes :

1. Tu veux un marron ?
2. Je le jure.
3. J'en mettrais ma main au feu.
4. Ce n'est pas possible, je vous jure !
5. Non mais ça va pas !
6. Tu peux toujours courir.

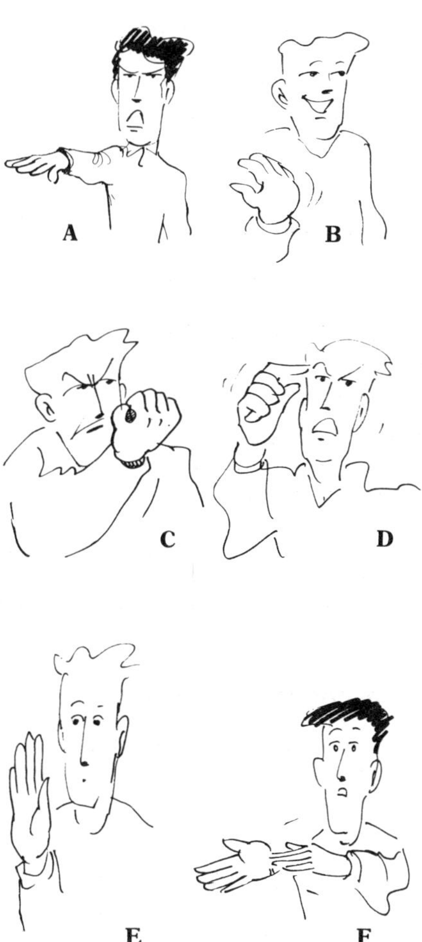

Comprendre d'où provient le trac

Avoir à présider une réunion, être invité à intervenir oralement, devoir prononcer un discours, se présenter à un oral d'examen ou à un entretien de recrutement, savoir qu'on sera enregistré ou filmé sont autant de situations qui déclenchent de l'angoisse. Car l'enjeu, le jugement des autres, provoque une réaction de défense : le trac.

▲ Qu'est-ce que le trac ?

	Ce qui se passe physiologiquement	Les réactions de l'organisme
Une personne doit parler en public. Elle n'en a pas l'habitude, elle se sent en danger.	La glande médullo-surrénale secrète de l'adrénaline d'où l'élévation de la tension, du taux de sucre et de globules rouges. Le cœur s'accélère. Le thalamus échappe plus ou moins au contrôle cortical et provoque des réactions musculaires et viscérales. (thalamus ; glandes médulo-surrénales)	L'organisme mobilise tout un arsenal de forces qui permettent soit de fuir soit d'attaquer le danger. Si les deux réactions se neutralisent, l'être est immobilisé ou se livre à des gestes de « déviation » : se ronger les ongles, tirer sur un bouton, tourner sa bague, etc.

▲ Comment le trac se manifeste-t-il ?

Le trac se transforme parfois en panique. Les signes sont plus ou moins violemment ressentis. Ils se manifestent :
au niveau du corps : la personne perd le contrôle de certains gestes;
au niveau du langage : la personne perd la mobilité mentale;
au niveau des émotions : la personne semble envahie de sensations pénibles.

▲ Pour quelles raisons a-t-on peur de s'exprimer ?

Les difficultés d'expression peuvent être mises en relation avec trois domaines :

— La famille : les difficultés ont parfois quelque chose à voir avec l'enfance, la manière dont la personne a vécu ou subi son éducation : a-t-elle été surprotégée, ou à l'inverse écrasée par des principes trop autoritaires ?

— L'école prend rarement en compte l'apprentissage de la parole en public. Ce qui engendre des habitudes : moins on parle, moins on a envie de parler.

— Le travail : les relations hiérarchisées imposent souvent des réflexes d'anonymat ou des prises de parole stéréotypées, ce qui ne développe pas l'expression personnelle.

RÉACTIONS EN CHAÎNE PROVOQUÉES PAR LE TRAC - COMPARAISON DE DEUX CAS

	L'orateur non entraîné	**L'orateur entraîné**
La situation	Sur la demande de son chef de service, il doit préparer et présenter un exposé à un autre service	Sur la demande de son chef de service, il doit préparer un exposé et le présenter à un autre service.
Les pensées	Il pense qu'il en est incapable et qu'il va se déconsidérer aux yeux de ses collègues.	Il pense qu'il tient là une bonne occasion de montrer ce qu'il sait faire.
Les sentiments	Il éprouve de l'angoisse.	Il éprouve une sorte d'excitation.
Les réactions physiques	Son rythme cardiaque s'accélère. Il a l'impression de ne plus pouvoir respirer quand il y pense.	Il pense plus vite, son cerveau est mobilisé vers l'action. Il a davantage d'idées, tout son corps est en tension.
Le comportement	Il n'arrive pas à travailler, il fait tout pour retarder le moment de commencer ses recherches.	Il entame son travail de préparation immédiatement. Il planifie son temps pour les recherches, la rédaction puis les deux répétitions qu'il envisage de faire au magnétophone.
Les intentions	Il va essayer de fuir la situation pour échapper à l'humiliation qu'il juge inévitable.	Il tient à s'acquitter de cette tâche le mieux possible. Il veut modifier ou renforcer son image face au groupe de collègues et au supérieur hiérarchique. Il espère que d'autres responsabilités lui seront confiées.

Maîtriser le trac

Chacun l'éprouve un jour ou l'autre. Le trac est lié à une situation d'attente : attente d'un résultat décisif d'ordre scolaire, médical, d'une décision importante d'ordre professionnel ou personnel. Le trac est également lié à la prise de parole. Cet acte nous expose au regard des autres et à la crainte d'être mal jugé, de décevoir. Comment le surmonter ?

▲ Les effets positifs du trac

Le trac peut être un stimulant. On dit que le trac s'empare du bon comédien avant chaque entrée en scène et épargne le mauvais comédien. Il est vrai que les mécanismes qui le provoquent entraînent plusieurs effets positifs : ils mettent le corps en tension, ils alimentent l'excitation intellectuelle, ils augmentent la vitesse de réaction, ils favorisent la concentration.
Le tout est de savoir de quelle manière il est possible de transformer les effets paralysants du trac en effets stimulants.

▲ La technique de relaxation

Cette technique utilisée à ses débuts en neuropsychiatrie et mise au point par le D Schutz disciple de Freud peut facilement devenir une sorte de discipline à usage personnel. Elle allie des techniques d'autosuggestion et des techniques respiratoires simples.

▲ L'exercice de la pesanteur

On ferme des yeux et on se représente mentalement sans bouger ni parler, les formules suivantes : « Je suis tout à fait calme. Mon bras droit (gauche pour les gauchers) est très lourd ». Une sensation de pesanteur apparaît. Après une demi-minute, c'est la « reprise » : flexion et extension du bras respiration profonde, ouverture des yeux. Après quelques jours, on fait la même chose avec les deux bras, puis avec les bras et les jambes. A la fin, ne jamais oublier la reprise.

▲ La régulation cardiaque

L'exercice se fait en position couchée. On applique la main droite sur le cœur. Après la série d'exercices précédents, on se concentre sur la région cardiaque : « Mon cœur bat calme et fort ».

▲ Le contrôle respiratoire

Après avoir exécuté les exercices précédents, on se concentre sur la formule : « Respirer calmement », « tout mon être respire ».

▲ Régulation des organes abdominaux (« plexus solaire »)

Le plexus solaire se trouve dans la moitié supérieure de l'abdomen, à mi-distance entre le nombril et le sternum. Toujours après les autres exercices, on se concentre sur cette zone : « Mon plexus solaire est tout chaud. » On se représente que chaque expiration fait passer la chaleur dans l'abdomen.

DERNIERS CONSEILS AVANT VOTRE PRESTATION

Relaxation : la position à adopter

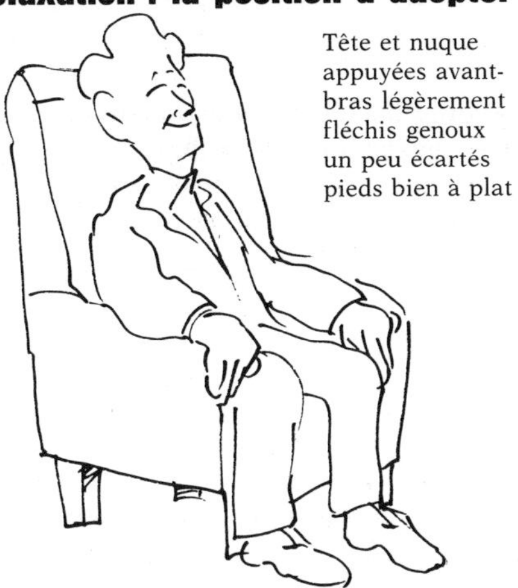

Tête et nuque appuyées avant-bras légèrement fléchis genoux un peu écartés pieds bien à plat

Le jour de votre prestation

— N'ayez pas trop de choses à faire pour éviter l'énervement. Ne buvez pas trop de café ou de thé. Mangez légèrement et lentement.
— Ne parlez pas trop : n'expliquez pas à votre entourage ce que vous allez faire ou dire.
— Ne vous pressez pas, agissez simplement.
— L'heure de la réunion approche. Rejoignez l'endroit dans lequel vous aurez à vous exprimer.
— Dans la salle, concentrez-vous bien. Asseyez-vous en centrant bien votre corps, respirez lentement.

Dès que votre nom est prononcé :

— Levez-vous lentement.
— Équilibrez votre corps.
— Marchez de manière décontractée vers l'estrade, pensez au bout de vos doigts.
— Tournez-vous vers le public.
— Recentrez-vous bien.
— Réglez le micro si c'est nécessaire.
— Fixez la dernière rangée du public.
— Vous pouvez commencer à parler.

ENTRAÎNEZ-VOUS

Travailler son souffle permet d'acquérir plus de maîtrise de soi.

1. A pratiquer pendant 5 à 10 mn.
a. Inspirez lentement et profondément par la narine gauche, la narine droite reste bouchée par le pouce droit. Expirez par la narine droite débouchée, la narine gauche étant bloquée par l'index droit.
b. Inspirez par la narine droite, etc.

2. Voici 10 vers de Victor Hugo (Oceano Nox). Combien pouvez-vous en dire sur une seule expiration ?
Oh ! combien de marins, combien de capitaines
Qui sont partis joyeux pour des courses lointaines,
Dans ce morne horizon se sont évanouis !
Combien ont disparu, dure et triste fortune !
Dans une mer sans fond, par une nuit sans lune,
Sous l'aveugle océan à jamais enfouis !
Combien de patrons morts avec leurs équipages !
L'ouragan de leur vie a pris toutes les pages
Et d'un souffle il a tout dispersé sous les flots !
Nul ne saura leur fin dans l'abîme plongée.
Pour améliorer votre performance :
— Inspirez et sur ce souffle lisez un vers le plus lentement possible.
— Répétez cet exercice avec 2 vers dans un seul souffle.
— Passez à 3, 4 vers. Il est possible d'aller jusqu'à 10 vers.

Expliquer quelque chose à quelqu'un

Expliquer, c'est donner à quelqu'un les moyens de comprendre. Il n'est pas toujours facile de gérer les deux minutes de parole improvisée, c'est-à-dire trois cents mots d'explication ou les quinze minutes de parole préparée soit les deux milles mots d'un mini-exposé. Plusieurs conditions s'imposent.

▲ S'adapter à son interlocuteur

L'explication s'adresse toujours à un interlocuteur ou à un auditoire précis. Si l'on veut que l'explication soit bien comprise, l'orateur doit non seulement viser la clarté des propos mais aussi s'adapter au niveau de connaissances et de compréhension de ceux qui écoutent.

▲ Choisir le type d'explication qui convient

Le fait d'être compris tient à la précision du langage et à la manière de diriger le raisonnement. Il existe trois types d'explications.

— **L'explication-description**
Elle décrit des mécanismes, des structures, des fonctionnements. On utilise ce type d'explication pour répondre aux questions : Comment ça marche ? Comment je dois faire pour... ?
Exemples : le principe de l'ordinateur - Comment fonctionne une pompe à bicyclette ? - Comment fait-on des œufs brouillés sur toasts ? - La fabrication de l'acide sulfurique.

— **L'explication-interprétation**
Elle précise la signification d'une expression, d'un énoncé, elle clarifie un problème. On utilise ce type d'explication pour répondre à la question : Qu'est-ce que... ?
Exemples : Qu'est-ce qu'une comédie ? - Qu'est-ce qu'un algorithme ?

— **L'explication de type logique**
Elle comporte des principes, des généralisations, des mobiles. Elle présente une évaluation des nécessités ou des valeurs et fait intervenir la notion de cause. On utilise ce type d'explication pour répondre à la question : Pourquoi ?
Exemples : Pourquoi paie-t-on des impôts sur le revenu ? Pourquoi les freins ont-ils lâché ?

— Il est possible qu'une explication appartienne parfois à plusieurs types. Lorsqu'on veut faire comprendre comment un projet de loi devient une loi, on décrit un mécanisme, on explique aussi pourquoi il en est ainsi.

LA PRÉPARATION

Comment préparer une bonne explication

La préparation s'effectue en trois temps.

— **Premier temps :** cerner avec précision le sujet à expliquer.
Méthode : se poser une série de questions simples : qui ? quoi ? comment ? pourquoi ? pour formuler ensuite le sujet de l'explication sous la forme d'une question ; *exemple* : Comment s'organise la circulation de l'information dans votre service ?

— **Deuxième temps :** Dégager les idées secondaires.
Méthode : repérer les mots importants de la question. *Exemple* : De quel type d'information s'agit-il : ascendante ? descendante ? Comment est organisé le service ? etc.

— **Troisième temps :** Mettre en place le déroulement de l'explication.
Méthode : une idée simple et précise exprime chaque point important à retenir.
Les précisions supplémentaires indispensables entourent chaque point-clé, exemple : les exceptions, les nuances.
Le raisonnement à faire comprendre s'articule nettement sur des mots-outils ; *exemple* : l'idée essentielle est que ... Mais ... C'est pourquoi...

ENTRAÎNEZ-VOUS

1. Le circuit de Monza
Vous devez faire dessiner à main levée le schéma suivant à une personne qui n'en a pas pris connaissance.

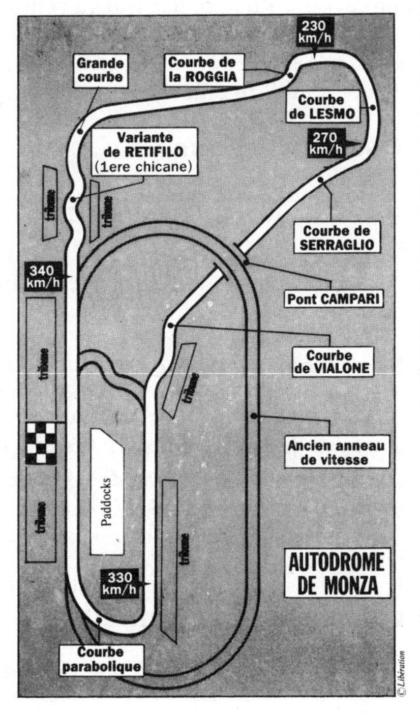

Libération 5/6 septembre 1987

Lorsque le dessin est terminé, comparez-le au plan.
Quelles erreurs, quels manques votre explication contenait-elle ?

Comment relancer l'attention

Deux procédés permettent d'accrocher son auditoire et de relancer son attention lorsqu'elle faiblit. Il s'agit de la forme personnelle et de la parole rapportée. Ces procédés de rupture dans le discours sont à utiliser ponctuellement.

▲ Utiliser l'anecdote

Le récit d'une aventure dont on a été le témoin ou un acteur, en brisant le cours d'un discours magistral, provoque un effet de rupture. L'anecdote satisfait la curiosité de l'auditoire quant à la personne de l'orateur et permet une identification. Elle ménage une courte pause qui va relancer l'intérêt. Toutefois il faut veiller à ne pas s'égarer du thème de son propos pendant une heure.
Exemple : « Cet aspect de la question me fait justement penser à ce qui m'est arrivé lorsque, jeune ingénieur, je me suis trouvé confronté à la situation suivante... »

▲ User du « Vous »

Pour impliquer directement ceux qui écoutent, on peut utiliser des expressions qui les interpellent : « Vous avez pu remarquer... ; Vous avez constaté... » Par ce procédé on s'adresse directement à tout le monde et à chacun en particulier. On remporte l'adhésion de l'auditoire en sollicitant régulièrement sa participation dans le discours.

▲ La citation directe

On interrompt son propre discours pour rapporter les paroles de quelqu'un d'autre. Le choix de la personne et de ses propos doivent accrocher l'auditoire. Il faut que cette personne soit connue de tous pour que sa citation ait un sens.
Exemple : (dans une réunion de commerçants « ... et, comme le disait M. X, président de notre groupement : « L'animation du quartier servira nos intérêts. » C'est pourquoi je propose... »

▲ La pensée personnelle

On raconte sa réflexion. On fait partager un raisonnement personnel, le cheminement de sa pensée. L'auditoire a alors l'impression d'assister en direct, de participer à la naissance de cette réflexion.
Exemple : « Je me suis alors demandé si l'installation du distributeur de café dans le couloir ne risquait pas de perturber le service. D'un autre côté, il devenait difficile de... »

▲ La pensée attribuée

On laisse entendre que l'on sait ce que l'auditoire a pensé. C'est flatteur pour ceux qui écoutent, on va parler d'eux. C'est une façon de faire adhérer à la thèse qu'on propose. *Exemple :* Certains d'entre vous se sont sûrement demandé...

L'HUMOUR : UN INSTRUMENT DE SÉDUCTION

Le rôle de l'humour

— On utilise l'humour pour créer un moment de détente, de rire, dans un discours sérieux.
Son emploi relance l'attention et introduit une sorte de récréation dans un discours structuré.

— Comment procéder.
Il faut créer un écart entre ce que l'auditoire attend et ce qui est dit à un moment donné du discours. On peut utiliser :
• l'exagération : on augmente ou on diminue excessivement la vérité des choses.
ex. : « roux comme un Irlandais peint par Van Gogh. »
• le jeu de mots : on peut jouer sur les sons du mot.
ex. : « As-tu vu Montecristo ?
Non, je n'ai vu monter personne. »
• On peut aussi jouer sur les différents sens d'un même mot.
ex. : « Tu as là de quoi bâtir un roman !
Je préfèrerais une petite villa sur la côte ! »
• les jeux d'attitude : on met en contradiction son attitude avec le sens de son discours. Par exemple, dans un développement sur les vertus du rangement on fait mine de chercher dans toutes ses poches un stylo ou ses lunettes.

Exemple commenté

Voici quelques aspects illustrant divers procédés de l'humour tel que le pratique Jacques Séguéla dans une conférence : « Séguéla raconte la pub. »

— **Les jeux d'attitude.**
Ils sont en rupture par rapport au sérieux habituel du conférencier.
• Au début Jacques Séguéla entre sur scène comme sur un ring. Il est vêtu d'un peignoir de boxeur en soie bleu et porte des gants de boxe.
• Un peu plus tard pour introduire la publicité en Asie, il met un chapeau chinois.
• A un autre moment, il retourne sa veste, une doublure tricolore apparaît : Jacques Séguéla parle de la publicité française.

— **Les formules-chocs**
• *Exemple :* J. Séguéla s'adresse au public : « Connaissez-vous l'inventeur de la pub ? C'est Jésus Christ. Il a le plus beau slogan : aimez-vous les uns les autres.
Il a le plus beau logo : ICTUS, le plus beau lieu de ventes : les cathédrales et la meilleure promotion : les miracles ».

— **Les histoires drôles.**
Jacques Séguéla explique que l'un des ressorts de la publicité est l'absence de logique. Pour expliquer cela, il raconte l'histoire suivante avant de projeter « un film pas logique. » « Un Belge rencontre un type et dit : ton boulot, ça va ?
— Oui, dit l'autre, je suis des cours de logique, tu vas voir :
— tu aimes les aquariums ?
— Oui, dit le Belge
— Alors tu aimes les poissons donc tu aimes la nature, donc tu aimes les hommes, donc tu aimes les femmes. »
Le Belge rencontre son patron et lui annonce qu'il suit des cours de logique et qu'il va lui faire une démonstration.
« — Aimez-vous les aquariums ?
— Je déteste cela dit le patron.
— Alors, c'est que vous êtes pédéraste. »

Contester, dire non

Dans les débats ou les discussions il est fréquent que l'on ait à s'opposer à ses interlocuteurs. On peut être amené à corriger, à minimiser ou à s'opposer.

▲ Corriger si l'on n'a pas été compris

— C'est dire non lorsque l'interlocuteur a mal compris ce que l'on a dit, ou lorsque volontairement il déforme des propos pour les disqualifier. Dans ce cas on rétablit le sens de son intervention.

— Comment faire ?
a) Dans un premier temps nier fermement la reformulation de l'interlocuteur,
b) puis repréciser en le formulant clairement le sens de son intervention, ou préciser en le distinguant un aspect particulier.
Exemple : Bien sûr que non ! ce que je voulais dire, pour être plus précis, c'est que...

▲ Minimiser, déplacer l'objet du problème

— Parfois la position est difficilement défendable. Des faits donnent tort. On ne peut espérer persuader ses interlocuteurs. On reste sur la défensive. On reconnaît les faits tout en minimisant leur importance.

— Comment faire ?
a) Minimiser les faits :
- on admet les faits à un niveau particulier,
- on les refuse à un niveau général,
- on prend l'interlocuteur à témoin,
- on lui propose un contre-exemple.

Exemple : On peut en effet citer le cas de X. Mais il reste tout de même marginal. Ce n'est pas représentatif de l'ensemble. D'ailleurs, si vous le voulez bien, parlons sérieusement, il serait malhonnête de généraliser. Je connais Y...
b) Déplacer l'objet du problème :
- on reconnaît brièvement le fait,
- on propose directement une explication ou une cause générale.

▲ S'opposer si l'on est en désaccord

— Il est des sujets sur lesquels on ne peut porter un jugement définitif. On reconnaît à l'interlocuteur la validité de certains de ses arguments, sous peine d'être taxé de mauvaise foi, avant de critiquer sa position ensuite.

— Comment faire ?
a) On concède un des arguments.
b) On oppose un argument contraire.
c) On insiste (par exemple en l'illustrant) sur l'argument contraire.
Exemple : Vous venez de dire que... et je dois l'admettre, mais reconnaissez toutefois que... que... et que...

QUELQUES FORMULES A UTILISER

Corriger

— Ce n'est pas tout à fait ce que je voulais dire. En fait, pour mieux me faire comprendre, je tiens à préciser que...
— Vous faites erreur ! Le sens de mon propos n'est absolument pas celui que vous donnez. J'ai dit que...

Minimiser

— Même s'il est vrai que..., il n'en reste pas moins vrai que...
— Il est exact que..., mais on peut raisonnablement se demander si...

Faire des concessions

— Pour ne pas heurter de front son adversaire, il est habile de reconnaître qu'il peut avoir raison en reprenant son argument. On fait ainsi une concession avant de poursuivre sa propre argumentation.
— Formules concessives :
Certes..., mais...
Bien entendu..., mais...
L'intérêt de... est incontestable, mais il reste à se demander si...

Les oppositions

Les oppositions peuvent être introduites par les expressions suivantes :

alors que	loin que
alors même que	bien loin que
au lieu que	même si
tandis que	si même
bien que	quand bien même
encore que	quoique

Les gestes du refus

Le coup de poing

L'index dressé

La main-ciseaux

Paumes vers l'extérieur

ENTRAÎNEZ-VOUS

1. Vous participez à un débat. Un interlocuteur en désaccord avec votre point de vue, reformule de manière erronée votre propos.
Quelle réaction allez-vous avoir :
— corriger
— minimiser
— vous opposer

2. Au cours du même débat, vous avancez une idée. Un participant la contredit par un exemple qui ne peut être discuté.
Quelle réaction allez-vous avoir :
— corriger
— minimiser
— vous opposer

Quand et pourquoi utiliser la reformulation

Reformuler ce n'est pas répéter mais redire avec d'autres mots ce que l'interlocuteur a dit. La reformulation est un instrument de l'écoute. Elle sert à améliorer l'écoute, à encourager la parole de chacun, à la mettre en valeur. Elle sert aussi à vérifier, à rectifier avec nuance, à dédramatiser ce qui a été prononcé.

	Qu'est-ce que c'est ?	**Quand l'utiliser ?**	**Dans quel but ?**	**Exemple**
La reformulation-reflet	Elle reprend tout ce qui a été dit avec d'autres mots sans que rien ne soit ajouté, retranché, jugé ou interprété.	Elle est adaptée aux situations d'entretiens centrés sur une décision à prendre, une action à mener, une information à assimiler : - la négociation, - l'enquête.	Cette reformulation garantit une bonne écoute puisque les informations redites ne doivent subir aucune modification.	« Je suis découragé, je n'en peux vraiment plus ». « Ainsi vous vous sentez à bout ».
La reformulation-clarification	Elle reprend l'essentiel de ce qui a été dit. Celui qui écoute et reformule doit analyser rapidement ce qu'il a entendu et se garder d'interpréter les propos.	Entretiens qui portent un diagnostic : le recrutement, la promotion, la mutation et aux entretiens de discussion, de concertation. L'écoute se centre sur l'action et sur le vécu des personnes.	Cette reformulation renforce l'écoute. elle demande une analyse et une synthèse immédiates des propos. Elle permet de mieux connaître celui qui s'exprime.	« Au travail, on ne tient pas compte de mon avis peut-être parce que je suis une femme parmi trois hommes ». « Dans votre travail, le fait d'être une femme vous donne le sentiment d'être tenue à l'écart. »
La reformulation-reflet inversé	Elle exprime explicitement ce que les paroles laissent sous-entendre : l'implicite. Celui qui écoute reformule ce qui reste plus ou moins caché par des détails ou des digressions.	On l'utilise dans les entretiens d'orientation professionnelle, de consultation conjugale ou dans les entretiens thérapeutiques. L'écoute se centre sur la personne et son vécu.	Elle approfondit la relation avec la personne qui demande de l'aide. Cette personne est guidée vers une meilleure connaissance d'elle-même.	« Un voyage à l'étranger ferait du bien à ma fille. Cela lui changerait les idées, mais elle ne veut rien entendre ». « Le comportement de votre fille remet en question votre autorité. »

COMMENT ÉCOUTER ?

Comment écoutez-vous ?

Voici plusieurs comportements d'écoute. Reconnaissez-vous vos attitudes ?

	le sourd	le distrait	le bébé	le conformiste	l'auditeur habituel	l'auditeur attentif	l'auditeur sélectif
le bruit							
l'information connue							
l'information nouvelle			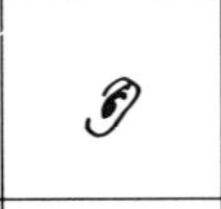				
	Rien ne passe.	Le bruit de fond parvient à le détourner du message.	Tout passe au même niveau.	Il n'écoute que la partie connue du message.	Il écoute tout en partie.	Il écoute le message dans son entier.	Il n'écoute que la partie nouvelle du message.

Les bonnes habitudes d'écoute

— Prendre du temps pour bien enregistrer et penser à ce qui est dit.
— Écouter avant de juger ou d'intervenir.
— Identifier les points importants, les arguments du discours de l'autre.
— Éviter d'être distrait, accaparé par des sentiments qui perturbent l'écoute.
— Laisser les idées neuves et différentes nous atteindre.
— Anticiper sur ce qui peut venir et faire mentalement des comparaisons, des points de repère, des récapitulations.
— Rester attentif au ton, aux gestes, aux mimiques, à tout ce qui révèle les sentiments.

ENTRAÎNEZ-VOUS

A faire avec un ou plusieurs partenaires et un magnétophone.

1. Après avoir branché le magnétophone, vous racontez une anecdote, un fait marquant récemment vécus. Votre improvisation dure 4 mn.

2. Les autres participants reformulent à tour de rôle ce qu'ils ont entendu. Ils commencent en disant : « si j'ai bien compris » ou « ainsi donc ».

3. Réécoutez l'ensemble et évaluez ce qui s'est passé en vous aidant des questions suivantes :

- Y a-t-il eu des incompréhensions ?
- A-t-on ajouté des informations ?
- A-t-on omis des informations ?
- A-t-on modifié des informations dans le sens de l'exagération ? de la sous-estimation ?
- Quelles différences constate-t-on au niveau du ton de chaque reformulation ?

Comment décrire

La description facilite la mémorisation d'une idée. Une image concrète se retient plus facilement qu'une construction abstraite. Pour qu'une description orale soit efficace il faut l'organiser, la hiérarchiser et l'orienter.

▲ La description : une sélection

Choisir les éléments à décrire	Il est hors de question de décrire tous les éléments qui composent la réalité. On présentera les détails qui nous restent en mémoire car ils nous ont le plus impressionnés.
Choisir l'ordre de présentation	On choisit l'ordre dans lequel on va présenter les détails pour restituer l'émotion. On peut organiser la description en partant de l'élément le plus évocateur, la description produit un effet de sérénité ; ou au contraire aboutit à l'élément le plus chargé d'émotion (effet de tension).

▲ Pour ordonner la réalité : les trois plans

— Quand on décrit un lieu, on situe ses différentes parties par rapport à l'endroit où l'on se trouve, puis on les situe les unes par rapport aux autres (à droite, à gauche, au-dessus, en-dessous, devant, plus loin,...).

— On organise la description selon les plans de profondeur.

Le premier plan	C'est ce qui se trouve le plus près de l'orateur. Chaque élément est vu dans tous ses détails.
L'arrière plan	C'est ce qui est le plus éloigné de l'orateur. C'est ce qui est proche de l'horizon. On ne distingue que les formes générales.
Le second plan	Il se trouve intercalé entre le premier et l'arrière plan. On distingue les détails les plus importants.

▲ Pour préciser l'impression : les images

— Pour décrire on utilise des mots évocateurs mais simples, des mots qui donnent à voir.
Lorsque ce que l'on décrit est inconnu de l'auditeur, on le rapproche d'un objet connu : c'est ce qu'on appelle une image. Par exemple on peut décrire le désert comme une mer de sable, les dunes comme des vagues pétrifiées.

LA DESCRIPTION : UNE CONSTRUCTION

— Pour rendre présents à l'imagination de l'auditeur des lieux, des objets qu'il n'a pas devant les yeux, l'orateur évoque par des mots les sensations qu'il a éprouvées.

— Pour donner à voir : les cinq sens

	explication	verbes	adjectifs
Les sensations de la vue	C'est par l'œil que nous percevons les formes, les couleurs, les mouvements, les dimensions du monde.	regarder voir apercevoir observer	immense grand vert splendide
Les sensations de l'ouïe	Les bruits expriment le monde qui nous entoure. Ils aident à rendre compte de la réalité lorsque la vue est impuissante.	entendre écouter percevoir bruire haleter	sourd strident perçant imperceptible feutré
Les sensations du toucher	Elles sont perçues par nos mains, nos pieds, notre peau. Elles concernent le chaud, le froid, l'état des surfaces.	toucher caresser effleurer frôler	dur mou rigide moelleux
Les sensations de l'odorat	Elles sont déclenchées par les odeurs.	sentir humer embaumer	musqué acide fade
Les sensations du goût	Elles sont déclenchées par les saveurs.	goûter déguster sucer	aigrelet juteux rance

Comment convaincre ?

Persuader c'est montrer qu'une idée, qu'un comportement s'imposent. Celui qui veut persuader quelqu'un fait en sorte que son opinion soit naturellement admise. La personne « influencée » a été touchée par des effets persuasifs.

▲ L'effet de logique

— C'est le recours à la démonstration méthodique. On l'utilise pour réorganiser ou réfuter l'argumentation adverse. Cet effet a bonne réputation dans le système de pensée français.

— Le discours logique s'appuie sur un raisonnement, un enchaînement des idées. Il contient des termes exprimant des relations de cause et d'effet : « parce que, c'est pourquoi, or... »

— La difficulté à surmonter : celui qui abuse de cet effet est perçu comme un raisonneur.

— « C'est un fait incontestable, les Français consomment trois fois moins de lait que les Anglais. Or, les récentes études de marché montrent que l'image qu'ils ont des produits laitiers est bonne. Il serait donc intéressant de ... ».

▲ L'effet de tactique

— Pour persuader sans s'appuyer sur le raisonnement, celui qui parle peut employer plusieurs tactiques : paraître certain de lui, parler avec aplomb — en appeler à sa bonne foi —, avoir recours à des principes.

— Pour paraître convaincu, celui qui parle utilise des formes impersonnelles et les prononce avec fermeté : « Il faut, il est nécessaire, il est absolument évident... » ; il se montre de bonne foi en posant une question qui met en cause son interlocuteur : « Pourquoi voudriez-vous que je vous cache la vérité, dites-moi ? »
Il se réfère à des principes et utilise des expressions telles que « En principe, l'usage veut, selon les règles... »

— La difficulté à surmonter. Cet effet persuasif devient dissuasif si l'affirmation est un lieu commun ou si au cours de l'échange la personne change d'avis brusquement.

— *Exemple d'affirmation tactique* « Eh bien, je vous le dis tout net, croyez-moi, c'est une affaire en or et vous regretteriez de ne pas nous faire confiance ! »

▲ Le jeu sur l'émotion

— Jouer sur l'émotion c'est persuader en touchant l'affectivité : celui qui parle se montre complice ou force l'admiration en étant grand seigneur.

— Dans le discours de la complicité, il faut tenter de se rapprocher de son interlocuteur, le comprendre. Le « nous », le « comme vous » sont tout indiqués.
Quand celui qui s'exprime veut étonner son interlocuteur, il concède, il utilise des expressions telles que « je vous l'accorde », « je consens à ».

— *Exemple de discours complice :* « Sur ce point, la finesse de votre analyse m'intéresse et je vous rejoins tout à fait, nous sommes donc entièrement d'accord ».

LES GESTES PERSUASITFS

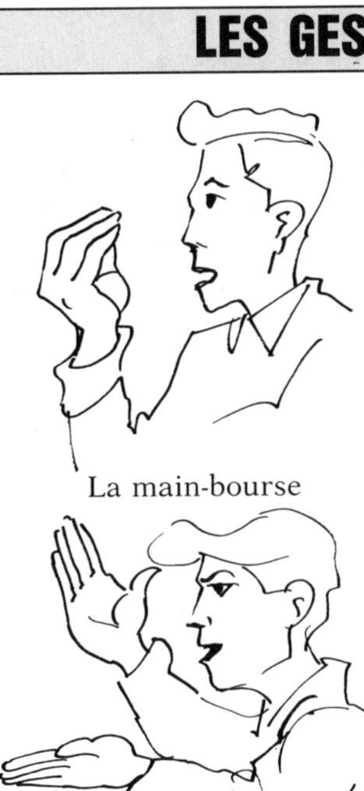

La main-bourse

La main-tranchoir

La main-enveloppe

La conviction

La pince pouce-index

La prise du vide

La prise de pouvoir

La main pointée

Comment raconter ?

Raconter un événement auquel on a assisté, ou auquel on a participé, d'une manière passionnante pour l'auditoire n'est pas chose facile. Il convient de structurer sa narration en trois temps : la présentation de l'histoire, la narration et la chute.

▲ La présentation de l'histoire

— La prise de parole :
Si on intervient dans une discussion, on doit relier l'histoire au sens général de ce qui a été dit.

Tiens, et bien justement, à ce propos, j'ai une histoire à raconter.

— Le résumé :
Le narrateur commence par développer un résumé de ce qu'il va raconter.

C'est un vieux viticulteur qui raconte un souvenir, une blague de jeunesse.

▲ L'histoire elle-même

Une bonne narration s'organise en cinq temps.

— La situation initiale :
• Présente le cadre du récit (lieu, époque) et les relations entre les différents personnages.

Ça se passait en Bourgogne dans les années cinquante, pendant les vendanges. Une cousine travaillait à la cueillette avec tout le monde.

— L'événement perturbateur :
• Un événement ou un personnage vient rompre l'équilibre de la situation initiale.
• Un manque apparaît.
• Un héros va essayer de combler ce manque.

Au déjeuner elle a abusé de la salade de haricots verts, ce qui fait que le soir elle était malade. Les vendangeurs lui ont dit de fouler les grappes de raisin dans la cuve, ça allait la guérir.

— Les transformations :
• Ce sont les aventures qui arrivent au héros au cours de sa recherche.
— La sanction :
• C'est résultat immédiat des actions du héros.
— La situation finale :
• Présente le résultat des transformations par rapport à la situation initiale.

Elle est montée dans le baquet et s'est enfoncée dans la grappe jusqu'au ventre ; elle était toute poisseuse. Pour la nettoyer, ils l'ont lavée au jet d'eau. C'était pas triste. Bien entendu, elle avait encore mal au ventre et en plus elle était trempée.

▲ La chute

— C'est la fin de la parenthèse ouverte par la narration. Son but est d'écarter toute question sur le sens à donner à l'histoire.

C'est bien ce qui prouve que Marcel a raison quand il dit que les amusements à la campagne n'étaient pas innocents.

ENTRAÎNEZ-VOUS

Observez l'histoire présentée ci-dessous.
Racontez-la en l'intégrant dans un discours à propos de la rumeur.

Sempé, Rien n'est simple. Ed. Denoël.
© C. Charillon - Paris.

Raconter et intéresser

Captiver un auditoire ou un interlocuteur en racontant une histoire vécue ou non, ce n'est pas si simple. Il existe plusieurs procédés pour intéresser celui qui écoute. Ce sont les commentaires.

▲ Le principe des commentaires

Les événements les plus rocambolesques peuvent être racontés de façon ennuyeuse. Inversement une histoire anodine peut captiver un auditoire. Celui-ci s'intéresse aux actions racontées mais il est surtout sensible à la manière dont celui qui raconte a vécu la situation, et à la façon dont il en rend compte.
Autrement dit, l'auditoire s'intéresse en premier lieu aux commentaires sur l'action elle-même.

▲ Les procédés du commentaire

Le récit s'interrompt pour laisser place au commentaire dans six cas.

— Le récit s'arrête pour expliquer à l'auditoire où se trouve précisément l'intérêt de l'histoire ; pour porter une appréciation, un jugement sur l'histoire.
Exemple : C'était terrible ! Il y a eu au moins douze personnes de tuées par cet ouragan. C'était la première fois qu'on en voyait un aussi violent.

— Le récit s'arrête pour intercaler entre les actions une remarque sur soi-même, sur les sentiments, les émotions éprouvés au moment des faits.
Exemple : Alors là, je me suis dit, mon petit vieux, ça y est, tu vas y passer !

— Le récit s'arrête pour reproduire le dialogue qui a eu lieu entre les protagonistes.
Exemple : Je lui ai bien dit, à Paul, « Tu te rends compte ! c'est la première fois que je vois autant de caravanes retournées ! »

— Le récit s'arrête pour laisser intervenir une tierce personne qui porte un jugement sur les événements présentés.
Exemple : Le lendemain, à la radio, le journaliste il disait que l'ouragan avait été d'une violence exceptionnelle et qu'il avait tué plus d'une douzaine de personnes !

— Le récit s'arrête pour laisser place à des descriptions d'actions qui révèlent la tension des personnages.
Exemple : Le vent est brutalement tombé. Je continuais à serrer le poignet de mon fils. Un moment plus tard je l'ai lâché. J'ai regardé son poignet, il était tout rouge.

— Le récit s'arrête pour prendre à partie son interlocuteur, son auditoire.
Exemple : Tenez, vous me comprendrez, c'est comme si d'un seul coup vous n'aviez plus de toit sur votre maison.

POINTS DE REPÈRE

Exemple commenté

Monsieur Leborgne, cultivateur breton, voit s'abattre dans son champ un avion de tourisme. En ressortent les spationautes français J.L. Chrétien et P. Baudry et soviétique A. Berezovoy. Il raconte l'événement à Europe n° 1.
M. Leborgne : Qu'est-ce que j'ai fait ? Eh ben, d'abord... J'leur ai dit : « Eh ben ici vous êtes chez vous... Y'a l'téléphone si vous avez envie téléphonez tous à, à... pas tous en même temps, mais à... la maison est à vous. » Ceux qui étaient blessés et ben j'ai mis la pharmacie à la disposition... Y'avait la salle d'eau... hen, Y z'avaient l'eau chaude, l'eau froide comme y... comme y z'avaient envie... Et pis quand j'ai vu qu'l'moral était au bas, hein,... j'dis, bon j'dis au... au Russe « Ici moi j'ai... j'ai du bon vin, mais j'ai aussi du calva. » Le calva, alors là ça... ça l'intéressait, et puis là il a... repris le sourire... et puis j'lui dis « Ne va pas trop fort hein, attention hein... » Mais y savait s'arrêter... Ah ! il était gentil hein... et pis sympa... Ah ouais... au départ il tapait le sang quand il est... heu... quand il est descendu de la carlingue... mais au bout... au bout d'un quart d'heure... Et ben... Ça y est hein. On l'a remis sur pied hein... »
Document communiqué par la Rédaction d'Europe 1.

Commentaire.
Monsieur Leborgne interrompt son récit
— pour reproduire le discours des spationautes, les paroles qu'il adresse aux « naufragés ».

— pour intercaler une remarque sur ses émotions « Quand j'ai vu qu'l'moral était au bas »

— pour porter un jugement « il était gentil, et pis sympa ».

Un visage expressif

Les commentaires peuvent aussi se manifester par des mimiques qui expriment le point de vue du narrateur sur son histoire.

Pour rendre compte d'une peur que nous avons éprouvée, nous nous essuyons le front du revers de la main généralement en soufflant et les yeux agrandis.

La main secouée est la forme la plus fréquente de l'exclamation augmentative.

Lire et être écouté

Lire à haute voix, c'est savoir dire un texte écrit sans le réciter d'une manière mécanique, ni le déclamer de manière pompeuse. Trois étapes pour y parvenir : vaincre l'appréhension, préparer sa lecture et améliorer l'articulation.

▲ Vaincre l'appréhension

Une bonne manière de diminuer l'appréhension de la lecture en public est de connaître les différentes causes qui rendent l'exercice difficile.

Causes	Explications	Solutions
Les difficultés du déchiffrage	On se trouve parfois freiné dans sa lecture car on a peur de mal comprendre et de mal faire comprendre le sens du texte.	Une bonne lisibilité par une impression claire et une mise en page aérée, facilite la lecture.
Le jugement sur le texte	La manière de considérer le texte influence la lecture. - Le langage est-il familier au lecteur ? - Les idées du texte sont-elles les siennes ? - Certains mots et expressions renvoient-ils à des expériences passées heureuses ou malheureuses ?	Il faut prendre conscience de ce type de difficultés. on lit ensuite le texte en essayant de répondre aux trois questions.
La vision négative de soi	Le lecteur se considère incapable de réussir correctement l'exercice. Il craint le regard de l'auditoire et son jugement.	Le lecteur peut faire quelques exercices de relaxation et de respiration pour se décontracter et se sentir plus à l'aise (voir page 000).

▲ Améliorer l'articulation

Pour articuler avec netteté il faut ouvrir la bouche et appuyer sur certains consonnes.

	Définition	Rôles
L'attaque	C'est le premier mot d'une phrase d'un paragraphe, c'est la première syllabe du mot initial.	On marque l'attaque en isolant par un court silence le premier mot de la phrase. Ceci a pour effet de susciter l'écoute de l'auditoire. ex. : Un loup // n'avait que les os et...
La finale	C'est la prononciation soutenue du dernier mot d'une phrase	On soutient cette finale en prononçant la dernière consonne pour permettre de comprendre le sens de la phrase.

ENTRAÎNEZ-VOUS

Dites ce texte en utilisant un magnétophone. Réécoutez la bande et demandez-vous si on a l'impression d'une lecture ou d'une improvisation.

Pour réussir, relisez une première fois le texte à voix basse. Lisez-le ensuite une fois à voix haute. Enfin lisez la première partie de la première ligne du texte préparé, levez les yeux et inspirez après « aucuns », puis dites la seconde partie de la ligne de la même manière.

Continuez pour tout le texte préparé. Préparez la lecture du second paragraphe du texte.

Le texte préparé

D'aucuns / qualifient quelquefois // d'académiques / les propos que nous allons tenir / alors qu'ils sont // à mes yeux // c'est leur mérite essentiel // l'expression / d'une considération réciproque // d'une part // celle que / la Mutuelle du Trésor / éprouve // à l'égard / de celui qui dirige / l'administration / dans laquelle se retrouvent / tous ses adhérents // d'autre part // celle que témoigne / le chef de cette administration // en votre personne // Monsieur le Directeur // à l'endroit / de la structure / la plus importante // qui gravite autour des services / qui vous sont confiés //

Il a été dit //
que la parole //
n'aurait été donnée / à l'homme //
que pour / cacher / sa pensée //

Le texte

D'aucuns qualifient quelquefois d'académiques les propos que nous allons tenir alors qu'ils sont, à mes yeux — c'est leur mérite essentiel — l'expression d'une considération réciproque; d'une part, celle que la Mutuelle du Trésor éprouve à l'égard de celui qui dirige l'Administration dans laquelle se retrouvent tous ses adhérents; d'autre part, celle que témoigne le chef de cette Administration en votre personne, Monsieur le Directeur, à l'endroit de la structure la plus importante qui gravite autour des services qui vous sont confiés.

Il a été dit que la parole n'aurait été donné à l'homme que pour cacher sa pensée. Pour ma part, j'estime que c'est la parole, avant les actes, qui tient les hommes attachés les uns aux autres.

Elle est, dans le commerce des pensées, ce que l'argent est dans le commerce des marchandises : l'expression réelle des valeurs, parce qu'elle est valeur elle-même. Mais pour cela, il faut qu'elle soit vraie, car, loin de la vérité, les mots mentent tout seuls. Nous condamnons la langue de bois souvent utilisée, paraît-il, dans notre monde contemporain, mais que la Mutuelle du Trésor n'a jamais pratiquée.

Allocution de clôture du Président Onno, *Le Mutualiste du Trésor*.
Août - Septembre 1987.

Poser des questions

Poser des questions, c'est pour des partenaires une manière de se connaître, d'explorer une situation, d'approfondir certains points. Différents types de questions peuvent donner à la communication son efficacité.

▲ Les questions fermées

— Ce sont des questions très limitées à réponse brève et précise. Quand elles sont alternatives, elles permettent de donner son avis selon le critère oui/non. *Exemple :* Aimez-vous Brahms ? rép. : oui / non.

▲ Les questions cafeteria

— Ce sont des questions fermées qui offrent un choix multiple mais limité. La réponse figure nécessairement dans l'échantillon proposé. C'est la question de nombreux sondage. *Exemple :* « Pensez-vous que le gouvernement est : très efficace, efficace, peu efficace ou inefficace ? »

▲ Les questions informatives

— Ce sont des questions fermées qui permettent de faire le tour d'un sujet ou de recueillir à son propos les informations essentielles. Quoi : De quoi s'agit-il ? Qui : De qui est-il question ? Quand : A quelle époque cela a-t-il eu lieu ? Où : A quel endroit l'événement a-t-il eu lieu ? Pourquoi : Quelles sont les causes du déclenchement du phénomène ? Comment : De quelle manière les choses se sont-elles déroulées ?

▲ Les questions ouvertes

— Elles couvrent l'ensemble du sujet. La réponse est totalement libre. Ce sont des questions qui obligent l'interlocuteur à réfléchir. Elles l'obligent à s'engager personnellement. Elles entraînent parfois des digressions ou des blocages. *Exemple :* « Que pensez-vous de ce film ? »

▲ Les questions miroirs

— Elles permettent d'appronfondir le dialogue. Il s'agit de faire parler l'interlocuteur au-delà de son affirmation. On pose une question miroir en reprenant sous forme interrogative les éléments apportés par la réponse. *Exemple :* « J'ai trouvé cette solution tout à fait inopérante. — Inopérante ? — Oui, car... »

▲ Les questions relais

— Elles permettent d'exploiter les réponses de l'interlocuteur. L'animateur renvoie la question posée à un autre participant. La question est posée sur un des points précis de la réponse. *Exemple :* « — Que pensez-vous de cette solution Monsieur M ? — Pour ma part, je l'ai trouvée inopérante. — Inopérante ? C'est aussi votre avis Monsieur B ? »

AUTRES QUESTIONS

La question test

L'interlocuteur demande de préciser le sens d'un mot ou d'une expression obscure que les participants emploient dans des sens différents.
Exemple : Qu'entendez-vous exactement par « rationalité » ?

La question boomerang

La question est formulée directement sur un point de la réponse de l'intervenant précédent.
Exemple : Monsieur M. vient de nous parler de son hypothèse de travail. Pour ce qui vous concerne, Monsieur X, comment envisagez-vous la situation ?

La question écho

La question vient d'être posée par un participant et on lui retourne sa propre question en sollicitant sa réponse.
Exemple : Voyons, Monsieur M, quelle réponse souhaiteriez-vous me voir donner à votre question ?

Les questions pour savoir

Il s'agit de questions dont la finalité est la recherche d'une information qu'on ne possède pas. Le demandeur est alors dépendant de son interlocuteur.

Les questions pour vérifier

Ces questions permettent de vérifier que celui à qui la question est posée a correctement compris ce qui lui a été dit, ou qu'il a réalisé la recherche qu'on attendait de lui (situation scolaire).

Les questions pour suggérer

Ces questions dirigent le raisonnement de l'interrogé vers la réponse qu'on veut lui faire découvrir. Dans ce cas, le demandeur domine l'échange.

Les questions pour s'opposer

L'objet de ces questions est d'amener l'interlocuteur à formuler une réponse que l'on pourra contester. Dans ce cas le demandeur domine l'échange.

Les questions pour conclure

Il s'agit de questions dont la finalité est de rassembler toutes les informations qui ont été apportées durant la réunion, afin d'opérer une synthèse. Dans ce cas le demandeur est à parité avec les autres membres de la réunion.

ENTRAÎNEZ-VOUS

1. Voici des réponses à des questions. Retrouver les questions posées.

Oui, puisque le contrat intermittent est un contrat à durée indéterminée, ce qui donne au salarié un statut stable, il bénéficie donc d'une plus grande sécurité d'emploi.

Non. Seules les entreprises industrielles, commerciales et agricoles, les offices publics et ministériels, les professions libérales, les syndicats professionnels et les associations peuvent conclure des contrats de travail intermittent.

2. Indiquez si les questions ci-dessous sont des questions ouvertes ou des questions fermées.
Quel rôle l'argent joue-t-il dans votre vie ?
Quels conseils donneriez-vous aux adultes qui souhaitent être compris des jeunes ?
La télévision est-elle un instrument de culture ?
La satisfaction des besoins matériels vous semble-t-elle un gage de bonheur ?

Les questions persuasives

Le questionnement peut exercer une contrainte sur l'interlocuteur et ainsi avoir la force de persuasion d'un bon argument. Parmi les questions persuasives, on distingue : les questions orientées, les questions pièges, les questions de controverse, et les contre-questions.

▲ Les questions orientées

— Ces questions induisent une réponse généralement positive. Elles consistent à faire découvrir une idée par l'interlocuteur, à remporter son adhésion. Ce type de question est toujours une question fermée à réponse oui/non.
• L'emploi d'un adverbe oriente la réponse.
Exemple : « Etes-vous satisfait par les réponses apportées ? » Réponses possibles : oui ou non.
Etes-vous totalement satisfait par les réponses apportées ? Réponse induite : Non.
• L'emploi du mot à valeur positive ou négative oriente la réponse.
Exemple : « Etes-vous prêt à poursuivre votre effort pour gagner ? » Réponse : oui.

▲ Les questions pièges

— Le présupposé : ces questions peuvent contenir une information implicite que l'on prend à son compte dès qu'on répond.
Exemple : « Qui avez-vous salué ce matin rue Racine ? » Réponse : Jacques, Pierre ou Paul, peu importe. Mais vous avez implicitement reconnu que vous vous trouviez rue Racine le matin en question.

— La connaissance : un autre type de question piège consiste à poser une question très précise, à laquelle l'interlocuteur ne peut répondre. Il se trouve ainsi mis en défaut et son argumentation perd de sa valeur.
Exemple : « Vous parlez de l'influence de la télévision, mais pouvez-vous nous indiquer précisément combien de temps un français de 30 à 35 ans passe devant la télévision ? »

▲ La question de controverse

Elle a pour but de faire réagir violemment l'interlocuteur. Elle est surtout employée dans les débats polémiques. Il s'agit de mettre en cause l'action ou la situation de l'interlocuteur en déplaçant le problème des faits vers la personnalité. On nie la compétence de l'autre, on met en cause sa moralité, on minimise son pouvoir.
Exemple : « Depuis que vous êtes secrétaire général du parti, votre électorat s'effrite. Allez-vous à nouveau postuler au poste de secrétaire général cette année ? »

▲ Les contre-questions

Il s'agit de questions proposées en réponse à une question de l'interlocuteur. C'est une manière de ne pas répondre directement à sa question en lui relançant immédiatement la balle.
Exemple : « Que pensez-vous de la créativité de votre groupe ? » question
« Avez-vous posé la question à d'autres participants ? » contre-question.

QUAND UTILISER LES QUESTIONS PERSUASIVES ?

Les questions orientées

— On utilise une série de questions orientées quand on veut mener l'interlocuteur à découvrir par lui-même un fait. Elles servent à guider sa démarche intellectuelle vers la solution qu'on lui propose.

— Elles sont fréquemment employées par les vendeurs pour décider le client à l'achat.

Les questions pièges

— On les utilise quand on veut mettre l'interlocuteur en difficulté.

— Elles permettent :
- d'interpréter la réponse pour y découvrir une information que l'interlocuteur n'y a pas mise de manière consciente. C'est le cas dans la question à présupposés.
- de montrer l'incompétence de l'interlocuteur.
Il se montre incapable de répondre à une question que sa démonstration amène... Par exemple, il parle de difficulté économique pour la population et il ignore le prix d'un ticket de métro ou d'un litre de lait. Son discours est discrédité. C'est le but de la question de connaissance.

La question de controverse

On emploie la question de controverse quand on veut obliger son interlocuteur à réagir à chaud. On l'oblige ainsi à adopter une attitude défensive. On conserve alors le bénéfice de la situation d'attaquant, de meneur de jeu.

La contre-question

Il s'agit de renvoyer sa question à l'interlocuteur car :
— on ne souhaite pas répondre,
— on veut connaître son point de vue sur la question afin d'organiser une réponse appropriée,
— on espère le déstabiliser,
— on refuse de le laisser mener le jeu.
On devient ainsi celui qui se trouve en position de force.

Questions objectives, questions subjectives

— Les questions objectives recherchent des informations dont la vérité ou l'erreur s'imposeront à tous les participants. Elles ne concernent pas les opinions des interrogés.
Exemple : Où se trouve l'original de ce tableau ?
— A New York.
— Les questions subjectives s'inquiètent du point de vue, de l'appréciation de l'interrogé. On aboutit à des opinions dont la justification est individuelle.
Exemple : Aimez-vous ce tableau ?
R1 — Oui, parce que...
R2 — Non, parce que...

ENTRAÎNEZ-VOUS

Les fausses questions.
On peut orienter la réponse à une question en employant une négation.
Exemple : « Nos ancêtres nous ont laissé un grand héritage moral. Mais ne leur devons-nous pas aussi un héritage scientifique, technique, artistique ?
Réponse évidente : « Si, bien sûr ! »
Les questions ci-dessous sont-elles ou non de fausses questions ?
1. Lorsque l'on nous parle des « travailleurs libérés », ne voit-on qu'une libération physique ?
2. Avez-vous déjà lu des livres ou des bandes dessinées de science fiction ? N'y avez-vous pris aucun plaisir ? »

Répondre à une question

Il arrive que l'on soit embarrassé pour répondre à une question. Cette hésitation peut traduire une incompréhension ou une incapacité à formuler sa réponse. On peut s'aider en appliquant une stratégie en deux points : rechercher le type de la question, rechercher les limites de la question.

▲ Recherchez le type de la question

Selon le type de question la réponse attendue est plus ou moins imposée.

— Question fermée : cette question attend une réponse de type oui/non. La réponse sera brève. L'interlocuteur attend une information précise.
« Savez-vous qui s'occupe de la coopérative d'achats ? — Oui, il s'agit de Monsieur M. du service commercial. »

— Question ouverte : c'est une réponse à risques. On doit exprimer des idées personnelles. La réponse oblige à la réflexion. Elle peut être précédée d'un silence.
« Que penseriez-vous d'un réaménagement du bureau ? — ... Il me semble, en effet, que c'est une question que l'on peut se poser. L'aménagement actuel présente un certain nombre d'inconvénients, ainsi, par exemple... D'un autre côté,...

— Question miroir : la réponse attendue n'est pas précise. On désire que soit développé un aspect du discours.
« J'ai trouvé ce film sans intérêt ! — Sans intérêt ? — Oui, sans intérêt. Toutes les situations présentées sont invraisemblables.

▲ Rechercher les limites de la question

Pour répondre correctement à une question on est parfois obligé de recadrer la question.

— La question porte sur un point de détail : dans ce cas on peut être amené à la replacer dans un contexte plus général pour que la réponse ait tout son sens. Le problème posé est considéré comme un cas particulier d'une question plus vaste.
« Pourquoi cet élève a-t-il brisé la porte ? — Il me semble qu'il s'agit là d'un exemple d'une situation plus grave. La violence est de plus en plus fréquente dans cet établissement. Et cette violence est le reflet de la situation sociale à laquelle nous nous trouvons confrontés. »

— La question porte sur un cas trop général : dans ce cas on peut être amené à réduire le champ de la réponse. On traite d'un cas particulier que l'on considère comme typique de la situation.
« On a parlé de mettre les villes à la campagne. Que pensez-vous de cette proposition ? — C'est un sujet très vaste. Je vous répondrai en prenant le cas des villes nouvelles qui ont été bâties dans les années soixante-dix. On constate... »

— La question contient un présupposé : avant de répondre on recherche l'information cachée dans la question. Puis on démonte le présupposé dans la réponse.
« Qui avez-vous rencontré mardi dernier à la gare ? — Je ne peux répondre à cette question ; je ne me trouvais pas à la gare ce jour-là. » Si on répond « personne », on admet implicitement que l'on était à la gare le mardi.

A L'EXAMEN, COMMENT NE PAS RÉPONDRE A CÔTÉ DE LA QUESTION

Écoutez la question

— S'agit-il d'une question ouverte ? C'est-à-dire d'une question qui accepte toutes les réponses autres que oui ou non.
Alors répondez comme si l'examinateur ne connaissait pas la question.

— S'agit-il d'une question fermée ? Alors surtout ne répondez pas par oui ou non, mais expliquez-vous en reprenant la question dans le début de la réponse.

— S'agit-il d'une question portant uniquement sur un texte étudié ?
Alors évitez de donner votre avis personnel et justifiez votre réponse en relevant des détails du texte.

— S'agit-il d'une question faisant appel à votre imagination ? à vos impressions ?
Alors ne répétez pas le texte, faites preuve d'invention, faites part de vos remarques personnelles.

Recherchez le domaine de la question

Une question n'est jamais générale, elle porte sur un point particulier. Elle cherche à vérifier votre compréhension.

— Si la question contient les mots *ressentir, sentiments, éprouver,* il faudra vous intéresser aux sentiments, aux émotions : *l'amour, la haine, le respect, la lâcheté, la joie, l'admiration...* c'est le domaine affectif.

— Si la question contient les mots *sensations, sens,* relevez ce qui concerne *l'odorat, la vue, l'ouïe, le toucher, le goût.*

— Si la question contient les mots *arguments, raisons, penser, discuter,* relevez les *idées,* les *raisonnements,* c'est le domaine intellectuel.

Organisez votre réponse

— Notez au brouillon quelques éléments de réponse.

— Formulez vos réponses en phrases complètes.

— Si vous devez citer un extrait du texte, introduisez-le par une phrase.

ENTRAÎNEZ-VOUS

1. Lisez les questions ci-dessous et dites s'il s'agit d'une question ouverte ou d'une question fermée. Répondez ensuite à ces questions.
— Connaissez-vous les douze travaux d'Hercule ?
— Avez-vous déjà utilisé un ordinateur ?
— Pourquoi lisez-vous tous ces romans policiers ?
— A quoi sert le Minitel ?

2. Lisez les réponses ci-dessous. Quelles étaient les questions posées ?
— Je suis tout à fait favorable à la mode.
— Les gens sont opposés à la mode parce qu'elle oblige à dépenser, il faut toujours changer de vêtements.
— La mode c'est un fait de société qui nous pousse à consommer pour que la production puisse continuer.

Les cinq premières minutes d'une rencontre

Tous les gestes et mots d'accueil sont à la fois des traits d'union et des moyens d'entrer en relation avec les autres. Ils permettent une meilleure appréciation du contact humain. La personne aimablement accueillie se conduit réciproquement de façon positive.

▲ L'accueil verbal

— Il s'agit d'exprimer un certain contentement. Evitez la formule convenue de ces rencontres : « Enchantée de vous connaître »; c'est une vraie conversation, préférez :
« Il y a longtemps déjà que je voulais vous voir. »
« Cela fait vraiment plaisir de vous voir en si bonne forme. »
« Il me tardait que vous arriviez. »

— Employez des formules justes.
Exemples : Un collègue avec qui vous êtes un peu en conflit acceptera une amabilité mais croira que vous vous moquez de lui si vous les multipliez.
Un supérieur considérera que des compliments excessifs sont le fait d'une personne flatteuse et maladroite.

▲ L'accueil par le geste

— Actuellement, nous usons presque tous de deux gestes :
la poignée de main : les paumes des mains ouvertes se serrent.
le salut à l'américaine : bras plié, main à hauteur de l'épaule, paume tournée vers l'autre « Hello ! ».

— Les saluts de la main :

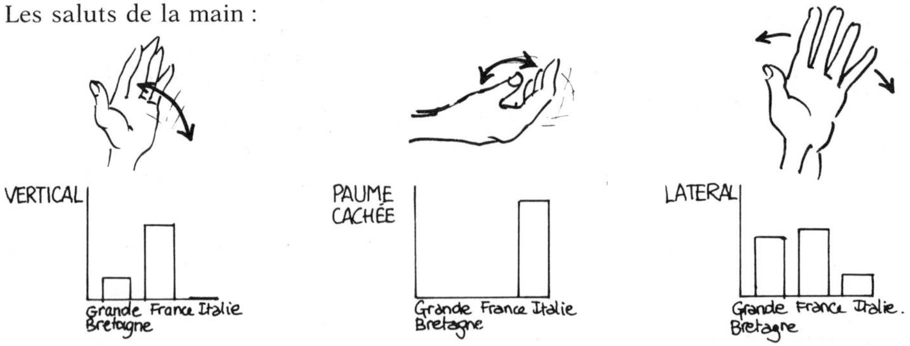

VERTICAL — Grande Bretagne, France, Italie
PAUME CACHÉE — Grande Bretagne, France, Italie
LATERAL — Grande Bretagne, France, Italie

Les saluts de la main se font sous trois formes : en Angleterre le salut latéral domine, en France c'est le geste vertical. En Italie, le geste très utilisé de la paume cachée est inexistant dans les deux autres pays. (*d'après Morris; Gesture Maps*).

LES ATTITUDES DE LA RENCONTRE

Se saluer

La poignée de main a conquis une bonne partie de la planète. Il existe cependant d'autres rites pour se saluer.
— Les Français se serrent la main chaque fois qu'ils se disent bonjour.
— Les Anglo-Saxons ne s'adonnent au « shake-hand » que lors de leur première rencontre.
— Les Arabes se saluent la main sur la poitrine, quelquefois nez à nez comme au Yémen en disant : La Paix soit avec toi.
— Les Asiatiques s'inclinent très bas pour se congratuler.
— Les Esquimaux échangent des sourires et se tiennent les mains qu'ils montent à hauteur du visage.
— Les Russes s'embrassent sur la bouche pour se saluer.
— Les Tibétains se tirent la langue et s'embrassent narine contre narine.
— Les Apaches n'échangent aucune parole.

Accueillir un visiteur timide

— La peur vient de l'inconnu, de la nouveauté.
La timidité résulte d'un sentiment plus ou moins conscient d'infériorité souvent injustifié.

— Votre objectif : créer la détente.

— Les moyens
- Se révéler
Faites-vous connaître de façon rassurante. Formulez sur vous-même quelques révélations qui suscitent l'intérêt, la sympathie. Cherchez-vous des points communs : la pêche, la voile, la randonnée. Laissez quelques instants la conversation sur ce terrain facile.
- Faites découvrir à l'autre sa force, en lui demandant de l'aide ou des conseils.
Faites-le parler d'une technique qu'il maîtrise parfaitement.
La personne intimidée deviendra bavarde.

Les étapes de la rencontre

Toute rencontre passe par un certain nombre de phases.
— La préparation
La personne qui reçoit soigne sa tenue vestimentaire, fait de l'ordre, va parfois chercher l'hôte à la gare ou à l'aéroport.
— Le contact à distance
Dès que les deux personnes s'aperçoivent, elles échangent des sourires et haussent les sourcils.
La main droite salue à distance, latéralement ou de bas en haut.
— L'étreinte d'intention
Les personnes peuvent tendre les bras l'une vers l'autre, symboliser le baiser d'un geste de la main s'éloignant de la bouche.
— Le contact direct
Il s'effectue par la poignée de main plus ou moins chaleureuse, l'accolade, l'étreinte, le baiser. L'intensité du contact dépend des relations nouées, de la durée de la séparation, du lieu, des circonstances.
— La parole
Certaines formules accompagnent le geste : « Je suis très heureuse de vous voir. Comment allez-vous ?
Ça va ? »
Le sens des mots importe peu, l'intonation compte davantage.
— Lors des adieux, l'ordre de ces phases est inversé : les congratulations, les poignées de main ou embrassades, un dernier geste de la main, l'ultime regard.

Engager la conversation

Dans une conversation, on échange des opinions sur autrui et sur beaucoup de sujets différents. On communique certaines informations détenues par l'un ou l'autre. Chaque individu passe environ 3 heures de sa journée à converser. Et si ses propos étaient transcrits, on obtiendrait 400 pages par semaine.

▲ Première étape : Amorcer la prise de parole.

Trois techniques sont possibles :
— Enoncer un ou plusieurs faits appelant progressivement des détails, des précisions, des données sur le temps et l'espace. Cette amorce s'alimente dans la mémoire qui va restituer des informations stockées. *Exemple :* (Deux personnes se trouvent dans un train. Elles s'arrêtent à Coulommiers.) « Ah, je ne suis pas prête d'oublier ce nom, vous savez. Et cela n'a rien d'un souvenir culinaire. C'est plutôt d'hôpital dont il s'agit... »
— Exprimer un sentiment, une émotion, le souvenir d'une émotion, un commentaire. Il peut s'agir d'une justification de ce qui a été vécu : « ça m'a plu - c'était bien - on ne s'attendait pas du tout à cela parce que... - on a bien ri parce que ... - on aurait dit un numéro de comiques. *Exemple :* (On entend un sketch de R. Devos) « Je suis vraiment fasciné par cet homme... »
— Faire un effort de rationalisation d'une question. Ceci répond à la volonté de se faire comprendre. Si vous vous lancez dans ce genre d'explication, il ne faut pas vous surestimer afin de ne pas décevoir l'interlocuteur. *Exemple :* « La question que vous évoquez présente deux aspects, l'un concerne les personnes, l'autre l'organisation générale... »

▲ Deuxième étape : Mettre sa pensée en forme.

Trois modes simples existent :
— S'appuyer sur la chronologie. C'est la mémoire qui intervient. Les personnes âgées racontent leurs souvenirs, les enfants racontent des histoires. Les adultes également utilisent ce mode du récit sans difficulté. *Exemple :* « A quinze ans et demi, j'ai quitté l'école pour rentrer au service de Mme B. ... »
— S'appuyer sur un classement. On crée des catégories, des classements :
l'aspect social, l'aspect politique, l'aspect financier,
avant, pendant, après,
le plus important, le secondaire, l'accessoire.
Ceci a un aspect didactique. *Exemple :* « Ce petit voyage en Val de Loire est pour moi plein d'enseignements. D'un point de vue historique, j'ai compris enfin... »
— S'appuyer sur l'association d'idées. Tel mot fait penser à tel autre, telle idée à telle autre. *Exemple :* « Dites-moi, à propos de parfum, vous ne sentez pas cete bonne odeur de café ? »

POINTS DE REPÈRE

Les rencontres fortuites. Que dire ?

• Si vous désirez établir un premier contact avec une personne inconnue, utilisez la série inusable de propos convenus :
le température : « Il fait vraiment très chaud... »
la qualité du service,
la prise à témoin d'erreurs ou, de défauts : « Vous vous rendez compte !... »
la destination : « Vous allez aussi jusqu'à... ? »
les inconvénients du tabac. « La fumée vous dérange-t-elle ? »

• Pour apprécier la réponse, attachez-vous moins au contenu qu'au ton et à l'expression du visage : un simple regard peut être une incitation à poursuivre. Un certain sourire peut être aussi clair qu'un refus.

Les entretiens préparés

Il peut s'agir aussi de rendez-vous d'affaires.

• Évitez les platitudes coutumières. Un mot aimable complète les paroles de salutation et de présentation.

• Si c'est vous qui avez sollicité l'entretien, remerciez celui qui vous accueille. Faites-le avec simplicité.

• Ceux qui se rencontrent fréquemment pour affaires vont droit au but après une formule de politesse sur leur santé respective : « Comment allez-vous ? »
Il serait mal venu de répondre en s'étendant sur ses malaises. La discrétion est de rigueur.

• L'entretien commence en exposant au nom de quoi, de qui, à quel titre vous vous présentez.

• Vous décrivez brièvement les tenants et les aboutissants de l'affaire.

• Si des détails sont nécessaires, consignez-les dans une note ou un dossier à remettre à l'appui.

Pour faire bonne impression

• Si vous êtes attendu dans un bureau, dans un salon, débarrassez-vous de votre manteau, de vos bagages au vestiaire.

• Si vous faut une serviette, qu'elle soit petite. Les hommes d'affaires ont une serviette bourrée de dossiers et une petite serviette pour chaque visite. Vous éviterez une perte de temps et une confusion toujours possible.

• Ayez l'air calme et souriant. La partie est à moitié gagnée. Vous inspirerez confiance et optimisme.
En résumé, veillez à l'exactitude, la franchise, la simplicité, au ton direct, à la courtoisie et à la clarté de vos propos. Vous ferez une excellente impression.

ENTRAÎNEZ-VOUS

Récapitulez les situations de rencontre que vous pouvez vivre en une journée :
dans les transports,
dans votre voisinage,
à votre travail,
à l'école de vos enfants,
dans les magasins, etc.

Quelle est votre attitude en général face à des inconnus ?

	oui	non
— Votre regard se porte-t-il sur les personnes nouvelles ?		
— Vous arrive-t-il de leur sourire ?		
— Avez-vous envie d'engager la conversation ?		
— Vous arrive-t-il de le faire ?		
— Le premier pas vous inspire-t-il une certaine crainte ?		

• Si vos réponses contiennent plus de oui que de non, vous êtes quelqu'un d'ouvert, vous avez l'esprit positif. Vous avez compris combien il est agréable de converser.

A qui parlez-vous ?

Dans la vie quotidienne, s'adapter à ses interlocuteurs oblige à mettre entre parenthèses sa subjectivité personnelle et à repérer leurs préoccupations.
Certains sont tournés vers l'action : ils réalisent, dirigent.
Certains sont centrés sur les méthodes : ils organisent.
D'autres s'intéressent à la personne : ils communiquent.
D'autres s'attachent davantage aux idées : ils innovent, ils théorisent.

▲ L'interlocuteur tourné vers l'action

— Il est terre à terre, plein d'énergie, direct, impatient, décidé. Il aime les défis et les réalisations menées tambour battant. C'est un décideur.
— L'attitude à adopter : il faut être bref et incisif, utiliser pour le convaincre des moyens visuels : des schémas, des croquis, des graphiques.
— Le discours à construire : cette personne parle en termes de résultats, d'objectifs, de performances. Il faut donc se situer sur le terrain du pratique et du concret, énoncer d'emblée les résultats, commencer par les conclusions.

▲ L'interlocuteur tourné vers les méthodes

— Il est concret, prudent et patient. Il procède avec méthode et logique.
— L'attitude à adopter : il faut être aussi précis que possible et ne pas bousculer ce genre de personne.
— Le discours à construire : cette personne s'exprime en termes de faits, de plan, d'essais, de contrôle et d'organisation. Elle analyse, observe et met à l'épreuve des faits avant d'engager toute action.
Il faut donc organiser son intervention de façon logique : présenter le cadre général, décrire la situation actuelle, en venir au résultat prévu. Cet interlocuteur aime qu'on lui soumette d'autres solutions en précisant pour chacune d'elles les avantages et les inconvénients.

▲ L'interlocuteur sensible aux facteurs humains

— Il est spontané, chaleureux, compréhensif, émotif, sensible et perspicace.
— L'attitude à adopter : il est déconseillé de se lancer tout de suite dans la discussion car cette personne apprécie qu'on échange quelques propos.
— Le discours à construire : ce type d'interlocuteur parle en termes de besoins, de motivations, de travail d'équipe, de communication, de sentiments. Il attache de l'importance aux valeurs..., aux croyances. Il est très sensible aux relations. Pour le toucher, on souligne les liens entre ce que l'on dit et les personnes concernées. On précise l'appui reçu de personnes respectées.

▲ L'interlocuteur tourné vers les idées

— Il est imaginatif, plein d'idées, c'est un créateur avec parfois un côté provocateur.
— L'attitude à adopter face à lui : avec lui, on consacre du temps à la discussion, il faut avoir envisagé le problème dans tous ses aspects.
— Le discours à construire : il s'exprime en termes de concepts, d'innovations, de grands projets, d'améliorations, de nouveaux moyens et de nouvelles méthodes. Il aime construire des perspectives à long terme. Face à ce type d'interlocuteur, il faut lier le thème examiné à une idée plus large.

POINTS DE REPÈRE

Les gestes du tête à tête

Paumes vers l'intérieur

Paumes face à face

Paumes en l'air

Paumes tournées vers le bas

ENTRAÎNEZ-VOUS

1. Voici une série de quatre phrases. A quel type d'interlocuteur allez-vous adresser chacune d'elles ? N'oubliez pas de justifier votre réponse.

Phrase 1

Si vous le voulez bien, nous allons aller droit au but.

Phrase 2

Comment va votre fils, cher Monsieur ? Je l'ai rencontré lors d'un récent voyage à Toulon et il m'avait fait part de quelques soucis.

Phrase 3

Je suis convaincu que ce choix se révèlera payant à long terme même si pour le moment il paraît hasardeux.

Phrase 4

Dans un premier temps, je vous ferai un bref résumé de la situation antérieure puis je préciserai l'état actuel des choses.

2. Vous êtes proche collaborateur d'un travailleur forcené. Mais vous le jugez très surmené ces derniers temps. Vous désirez le convaincre de s'accorder une semaine de repos.

En quels termes allez-vous argumenter ?

1. s'il est surtout tourné vers l'action ?

2. s'il a un esprit méthodique ?

3. s'il est sensible à l'aspect humain ?

4. s'il est tourné avant tout vers les idées ?

Se préparer à un oral d'examen

Un oral d'examen se travaille. Pour se présenter avec les meilleures chances de succès et un moral de vainqueur, il est nécessaire de s'organiser. Le planning permet d'équilibrer les efforts, d'éviter les retards accumulés et assure une sorte de sérénité d'esprit.

▲ Le planning

— La préparation commence. Il faut tenir compte de trois éléments :
1° la durée qui sépare la date du début des révisions de la date de l'épreuve.
2° l'étendue du programme à revoir.
3° la nature des épreuves. A l'oral du bac Français, par exemple, l'épreuve comporte deux parties : une question d'ensemble portant sur une œuvre entière ou un groupe de textes réunis autour d'un thème; une question d'explication de texte sur un court extrait de l'œuvre choisie.
— Il s'agit de planifier les activités de manière précise mais en laissant une certaine latitude pour les imprévus. Les plannings trop chargés sont impossibles à respecter.

▲ Gérer son espace

— En affichant un planning de travail hebdomadaire ou mensuel et en se servant de la couleur on visualise l'équilibre entre les moments de travail personnel, les instants de loisirs et les autres impératifs.
— Il est également efficace de ranger le bureau et l'endroit où l'on travaille de manière à ne pas chercher sans cesse des documents.

▲ Travailler avec méthode

— Rassembler des outils de travail.
Selon les matières, il peut s'agir d'un dictionnaire de mots, de noms propres, d'une grammaire, d'une histoire de la littérature, de manuels d'histoire...
Les études brèves par thème sont très utiles. Ajoutons à cela les cours et un répertoire contenant par ordre alphabétique les concepts à connaître et leur définition.
— Prendre des notes utilisables. (voir p. 152)

▲ Se mettre en condition physique et psychologique

— Sur le plan physique : préserver le sommeil.
Si les phases de travail grignotent le sommeil, les résultats s'en ressentiront.
— Sur le plan psychologique : s'exercer à parler.
On peut envisager de travailler à deux : chacun devient tour à tour l'examinateur et le candidat. Cette méthode permet de reprendre une explication à haute voix, de se corriger, d'avoir une notion de durée et d'acquérir.
Si l'on est seul, on peut avoir recours au magnétophone. S'écouter permet de prendre conscience des points essentiels : l'adaptation du langage, la clarté des idées, la construction de l'exposé.

LE PLANNING DE RÉVISION

Derniers conseils

Ne soyez pas trop ambitieux.

Ne restez pas trop longtemps sur le même sujet.

Travaillez différemment selon les matières :

les mathématiques et la physique exigent un suivi : révisez régulièrement.

l'histoire-géographie demande un effort de mémoire : gardez du temps quelques jours avant l'oral pour survoler vos notes une dernière fois.

ENTRAÎNEZ-VOUS

Le planning de révision.
Remplissez la grille ci-jointe en tenant compte des indications suivantes :
— Vous consacrez 10 h pour chaque matière d'oral (Français, Histoire-Géographie, Économie).
— Vous dormez 8 heures par nuit.
— Placez votre emploi du temps habituel : vos heures de travail.
— Ajoutez vos activités régulières : activités sportives, associatives.
— Indiquez les heures des repas et des transports.
— Planifiez vos révisions : alternez les matières pour éviter la lassitude.
— Tenez compte de vos habitudes de travail : vous êtes plus actif le matin, au contraire vous travaillez de préférence le soir.

	samedi	vendredi	jeudi	mercredi	mardi	lundi
7h	lever					
8h						
9h						
10h						
11h						
12h	repas.					
13h						
14h	chant					
15h	chorale					
16h						
17h	maths					
18h	maths					
19h	repas.					
20h						
21h						
22h						

heures de travail

activités régulières (sport, association)

détente, loisirs

Se présenter à l'oral d'un examen

L'oral d'examen inquiète beaucoup. En situation intimidante de face à face, les uns craignent de ne plus rien savoir, d'autres de mélanger leurs connaissances, d'autres encore d'être incapables d'ouvrir la bouche. Les examinateurs eux-mêmes considèrent ce moment comme une épreuve. Comment vivre cette situation le mieux possible ?

▲ Séduire en soignant son comportement

Les comportements irritants	Les comportements appréciés
Le candidat agressif ou familier.	Le candidat vivant, naturel, souriant, enthousiaste.
Le candidat médisant « Nous n'avons jamais vu cette question »	Le candidat qui parvient à intéresser son examinateur.
Le candidat silencieux ou qui ne répond que par monosyllabes.	Le candidat qui s'exprime avec sincérité.
Le candidat qui se dévalorise d'emblée « Je ne sais pas grand chose ».	Le candidat qui s'implique personnellement.
Le candidat provocateur par sa tenue ou sa coiffure. Il est déconseillé d'avoir l'air déguisé.	Le candidat discret dans sa tenue. Mieux vaut porter des vêtements dans lesquels on se sent à l'aise.

▲ Convaincre l'examinateur en acceptant les lois de l'épreuve

Ce que l'examinateur attend	Ce qu'il faut éviter
L'examinateur attend un exposé clair et construit. Que faut-il faire ?	• Le baratin, le verbiage Le candidat bavarde sur le thème ou autour du texte qu'on lui a demandé d'expliquer en espérant masquer son ignorance ou son absence de méthode. Il en vient à utiliser des mots dont il ne comprend pas le sens.
— Présenter, s'il s'agit d'un texte, préciser les références, le lire éventuellement, dégager un sens général et indiquer comment l'explication va être conduite. S'il s'agit d'un sujet, le resituer par rapport à un contexte historique, économique, indiquer quels problèmes il soulève et la manière de les aborder.	• Le par-cœur Le candidat récite. Il fait preuve de mémoire. L'examinateur ne parvient ni à l'interrompre ni à la faire dévier de sa ligne.
— Expliquer : c'est énoncer deux ou trois idées force qu'il faut prouver, illustrer.	• Les platitudes L'examinateur a l'impression d'avoir entendu quantité de fois les mêmes propos.
— Conclure : c'est reprendre les points essentiels et donner son avis personnel.	

POINTS DE REPÈRE

La différence de point de vue

Cas I : l'examinateur reste silencieux. Il désire ne pas troubler le candidat en intervenant. Il pense lui faciliter la tâche.

Le candidat pense que l'examinateur ne l'écoute pas, parce que ses propos sont inintéressants.

Cas 2 : l'examinateur interrompt le candidat, lui pose une série de questions.

Il veut aider le candidat, racheter une explication un peu faible.

Le candidat pense que ce qu'il dit est inexact et que l'examinateur rectifie.

Chez le candidat, le trac déforme la perception de la situation.

Chez l'examinateur, on comprend que voir défiler une vingtaine de candidats par jour engendre une certaine lassitude d'où le souci de rester discret ou le désir d'engager un dialogue.

La préparation

Il s'agit de mobiliser ses connaissances, sa maturité de réflexion, faire preuve de clarté dans l'exposé des idées. Le temps de préparation sert à organiser un petit exposé avec une introduction, un développement et une conclusion. Le temps de préparation peut être de 20 mn, d'une heure, de deux heures. De toutes façons c'est un temps court, en fonction du sujet. Le candidat n'a jamais assez de temps pour tout écrire. Mieux vaut noter le démarrage pour garder confiance en soi, les points essentiels du plan et la conclusion pour ne pas l'oublier.

Lisez ces quelques conseils

Langues	Mathématiques Physique	Histoire et Géographie	Français
• Eviter les fautes de grammaire de base, *exemple* le s à la 3e personne en anglais. • S'être informé sur les aspects politiques, économiques, culturels du pays étudié. • Savoir formuler un avis : être d'accord, en désaccord. • Savoir parler de projets personnels (loisirs, travail).	• Savoir faire le tour de l'exercice rapidement. • Cerner la méthode de résolution. • S'entraîner à résoudre oralement un problème. • Ne pas rendre illisible sa feuille de brouillon. • Savoir justifier l'emploi de la méthode choisie.	• Avoir en tête un axe chronologique avec les principaux repères historiques. • S'entraîner à tracer à main levée les fonds de cartes. • Avoir en mémoire les principales localisations.	• Relire les œuvres entières en diagonale peu de temps avant l'épreuve. • Relire les biographies des auteurs des textes étudiés. • Retenir ce qui éclaire le sens des textes étudiés. • Savoir resituer les grands mouvements littéraires dans le contexte historique politique et social.

Avant et après le premier entretien de recrutement

Les entreprises ont compris que leur existence et leur développement dépendent en partie de la qualité du personnel. On comprend qu'une sévère sélection s'opère : une entreprise peut recevoir 20 000 candidatures pour 200 postes à pourvoir. Le recrutement se déroule en plusieurs phases.

▲ Les étapes du recrutement avant le premier entretien

— Du côté du recruteur
Le consultant extérieur ou le responsable du recrutement de l'entreprise rédige, en collaboration avec le demandeur, l'annonce à passer dans la presse. Cette phase de travail en commun est importante car l'annonce qui vise à côté de la cible compromet l'opération.
A la réception des lettres, le courrier est trié et une première sélection des dossiers s'effectue.
Les candidats retenus sont convoqués par courrier pour un entretien.

— Du côté du candidat
Le candidat repère une annonce dans un journal. Cette annonce présente brièvement les activités de l'entreprise, précise le profil exigé (âge, niveau d'études, expérience professionnelle...). Elle demande que soient envoyés une lettre et un curriculum vitae.
Le candidat s'exécute et reçoit, s'il a réussi à intéresser son interlocuteur, une lettre de réponse lui précisant de prendre contact par téléphone.
Le candidat téléphone. Il se présente et note le rendez-vous fixé.

▲ Les étapes du recrutement après le premier entretien

— Du côté du recruteur
Le responsable présente au chef d'entreprise demandeur les dossiers restant en lisse. Il convient d'une entrevue entre chacun des sélectionnés et le futur supérieur hiérarchique.
Au cours de ce second entretien le supérieur hiérarchique, après avoir lu le dossier du candidat pose à son tour une nouvelle série de questions.
Exemples : « Pourquoi avez-vous répondu à notre annonce ? » « Quelle a été votre performance la mieux réussie ? »
Si le candidat franchit cette épreuve avec succès, il sera engagé dans l'entreprise et avant de prendre ses fonctions, les conditions d'intégration seront mises au point au cours d'un troisième entretien.

— Du côté du candidat
Si le candidat passe le cap du premier entretien et fait partie du petit groupe des sélectionnés, il aura à rencontrer son supérieur direct. Il est possible que des questions-pièges tentent de le décontenancer : *par exemple* des questions d'ordre professionnel : « de quelle formation aurait-il besoin ? » Dans ses réponses, le candidat doit se montrer motivé pour le poste, combatif.
Si le candidat est engagé, il se voit remettre un rapport le concernant. Le rapport contient les conditions d'intégration à l'entreprise et le mode de coopération attendu avec son supérieur.

POINTS DE REPÈRE

Situation commentée : un exemple à ne pas suivre

M. X est candidat aux fonctions de Censeur. Voici quelques questions posées et les remarques notées « à chaud » par celui qui dirige l'entretien.

Question : On parle souvent de l'échec scolaire. Comment sortir de l'accusation traditionnelle : c'est la faute du C.E.S. etc.

Remarque : paraphrase la question, discours creux, pas de réponse construite.

Question : Le décret du 30 août 85 stipule que le Proviseur représente l'État. Est-il plus isolé ? Cela renforce-t-il son pouvoir ?

Remarque : mal à l'aise (resserre sa veste en soupirant), ne regarde qu'une personne (auditoire exclu).

Question : Selon vous qu'est-ce qu'un bon Proviseur ? Quels moyens doit-il se donner pour connaître le terrain ?

Remarque : vision limitée, expression relâchée : « boulot, ça marche. »

Question : Si vous aviez une question à poser à la commission, quelle serait cette question ?

Remarque : gêne, reste silencieux.

Synthèse

M. X semble contracté, il manque d'assurance et ne parvient pas à défendre des positions avec clarté. Il ne répond pas aux questions lorsqu'elles se précisent même si elles se situent sur le terrain qui est le sien. Il s'exprime soit dans un langage relâché soit dans un langage contourné qui ressemble plus à une leçon apprise qu'à l'expression de convictions personnelles. Le candidat paraît prisonnier d'un schéma de pensée qui repose sur des principes moraux plus que sur des analyses. Avis négatif de la commission.

La lettre et le curriculum vitae

— A la lecture de ces deux éléments du dossier, les agents ou les responsables du recrutement effectuent déjà une première sélection. Il est donc nécessaire d'apporter un soin tout particulier à la rédaction du curriculum vitae et de la lettre envoyés en réponse à une annonce.

— Le curriculum vitae
Il n'y a pas de curriculum vitae type, idéal. L'essentiel est de faire passer sa personnalité derrière les mots. Il faut éviter le curriculum vitae trop long, trop stéréotypé ou trop sec. N'envoyez pas votre photographie si elle est à votre désavantage.

— La lettre
Le candidat doit démontrer une connaissance du secteur d'activité ou du poste recherché. Son objectif n° 1 est bien sûr d'obtenir un rendez-vous. Comment faire ?
Il faut intéresser voir intriguer son interlocuteur, lui donner envie de vous rencontrer, par conséquent mettre en valeur un profil positif.

— Si vous ne recevez pas de réponse au bout de dix jours, ne craignez pas de relancer l'entreprise par un coup de téléphone.

Qui recrute ?

20 % des entreprises font actuellement appel à des cabinets extérieurs pour sélectionner leurs cadres.

D'autres entreprises ont leur propre responsable de recrutement.

De toute façon le premier interlocuteur du candidat n'est donc presque jamais son futur chef.

Le déroulement de l'entretien de recrutement

Le premier entretien dure environ une heure. Ce premier contact est décisif. A ce stade les candidatures sont encore nombreuses. Il doit permettre à l'agent de recrutement de se faire un jugement. Il doit laisser au candidat une impression de sérieux. Le premier entretien se déroule en trois temps.

▲ Premier temps

— Le recruteur fournit au candidat des informations sur la société, sur le poste à pourvoir. Ceci peut se faire directement ou par l'intermédiaire de fiches soumises à la lecture du candidat.
L'intention du recruteur est de donner une image juste de l'entreprise afin d'éviter les malentendus.

— Le candidat écoute les informations qui lui sont fournies. Il lit avec soin les fiches quand elles lui sont transmises. Il pose des questions d'informations complémentaires. Il prend quelques notes.

▲ Deuxième temps

— Le recruteur se présente et définit son rôle : il appartient à un cabinet de recrutement extérieur ou fait partie de l'entreprise. En collaboration avec le chef d'entreprise demandeur, il a analysé le poste à pourvoir, il a défini le profil recherché, il a rédigé l'annonce.

— Le candidat n'a pas à intervenir dans cette présentation. Il écoute les données.

▲ Troisième temps

Deux possibilités se présentent : soit l'agent de recrutement pose des questions au candidat soit il demande au candidat de poser des questions.

— Le recruteur : 1re possibilité : il reprend le curriculum vitae point par point et pose des questions dans le but de mieux connaître le candidat. Il cherche à clarifier les motivations, à diagnostiquer les possibilités d'intégration du candidat à l'entreprise, à approfondir la connaissance de ses qualités et de ses défauts. L'enjeu est important : il faut éviter l'erreur de jugement dans la décision.

2e possibilité : le recruteur demande au candidat de lui poser des questions. La qualité des questions est un critère d'appréciation. Les questions posées renseignent sur le niveau de compréhension, les motivations. Les questions qui ne sont pas posées sont aussi révélatrices. Le recruteur pointe ainsi ce qui échappe aux préoccupations du candidat. Il mesure sa capacité à s'adapter à une situation inattendue.

— Le candidat répond aux questions de l'agent recruteur. Il s'agit pour lui d'expliciter l'évolution de sa carrière : quels ont été les postes successivement occupés, pour quelles raisons le candidat les a quittés. Le candidat clarifie ses intérêts professionnels en général et pour ce poste-là précisément. Il doit faire preuve d'authenticité, ne pas laisser dans l'ombre certaines zones, ce qui sera vite repéré et interprété. Il exprime ses conceptions du travail.
Cette manière de procéder a de quoi déconcerter. Au candidat de bien réagir. Il doit se souvenir de ce qu'il a lu, de ce qui a été dit. Il explore par le questionnement tous les domaines possibles, par exemple : la fabrication, la gestion, les méthodes d'achat, de vente, de promotion, de distribution, les difficultés de l'entreprise, l'ambiance de l'entreprise. Il expose ses objectifs et doit se montrer capable de les atteindre.

POINTS DE REPÈRE

Les règles à observer par les partenaires

1. La préparation

Mieux l'entretien sera préparé, plus l'image laissée sera une image de sérieux. La préparation est aussi une garantie pour pouvoir porter sérieusement un jugement.

2. L'authenticité des échanges

Il faut que chacun sache à quoi s'en tenir sur son partenaire. Le comportement du candidat se calque sur celui de son interlocuteur. Si ce dernier est ouvert, honnête, le candidat le sera également.

3. Le souci d'écoute

Il est souvent plus facile de parler que d'écouter quelqu'un. L'écoute attentive avec de fréquentes reformulations permet de découvrir la personnalité du candidat et empêche de faire des projections ou des interprétations personnelles.

Les partenaires doivent être attentifs aux propos et sensibles à l'aspect non verbal de la communication : les gestes, le regard, le comportement.

4. Le climat de confiance

Le responsable du recrutement doit chercher les côtés positifs du candidat, éviter de le piéger afin de créer un climat de confiance dans lequel le candidat pourra se révéler.

Les qualités recherchées

Une bonne élocution orale.
De la ténacité, de la persévérance.
De la combativité.
De l'autonomie, le sens du risque.
De la disponibilité.
De l'adaptabilité.
L'esprit communicatif.

Plus que le niveau et l'expérience ce qui compte, c'est la personnalité du candidat, sa capacité à faire preuve de ce qu'il est et de ce qu'il veut devenir. Les qualités de l'individu font la différence.

Ce qui entre en jeu dans l'entretien

Certaines conditions matérielles pèsent sur l'entretien. En être conscient permet d'en neutraliser les effets négatifs.

— Le cadre
Le cadre est une entreprise, un organisme, une administration. L'employeur réel est absent mais il est à l'arrière plan de l'entretien. Le cadre peut engendrer des attitudes artificielles : perte de la spontanéité, présentation orientée de soi, désir artificiel de séduction.

— Le temps
Le moment choisi dans la journée et la durée consacrée au candidat auront des incidences.

— La position spaciale
Elle peut favoriser l'impression d'égalité ou défavoriser le candidat si celui-ci est enfoncé dans un fauteuil et l'interviewer assis derrière un vaste bureau.

— L'âge et le sexe
Ils interviennent mettant en jeu les opinions générales, les accords ou les conflits inter-générations.

Interviewer

On appelle interview une série de questions posées à un spécialiste afin de parfaire sa propre connaissance d'un sujet. Pour mener à bien une interview trois étapes sont nécessaires : la préparation de l'interview, la conduite de l'interview et la réalisation du bordereau d'interview.

▲ La préparation de l'interview

— La définition de l'objectif : c'est-à-dire la détermination du rôle de l'interview : à qui cette information servira-t-elle ? dans quelle perspective ? On ne s'attachera pas au même aspect du problème si l'interview paraît dans le journal de l'entreprise, il est alors lu par tous les membres du personnel, ou si elle est destinée à être diffusée par une radio locale.

— La grille d'entretien. Réunir une documentation qui permette de suivre le spécialiste. Une part de ces informations va suggérer un certain nombre de questions à poser, de détails à faire préciser. Cette recherche documentaire va permettre de placer les informations dans un certain ordre.

— La mise au point du protocole. Prendre rendez-vous avec l'interviewé (voir page 62) négocier les conditions de l'interview. Parfois prise de connaissance préalable des questions, communication du résultat de l'interview lorsqu'il existe (article, montage radio,...).

▲ La conduite de l'interview

— Une attitude bienveillante évite les blocages, les malentendus, les pannes. L'attitude de l'interviewer consiste à mettre adroitement en valeur l'interviewé pour l'inciter à parler. Il faut l'amener à dire en quoi il se distingue des autres. L'interviewer a trois préoccupations en permanence :

— La clarté du propos : à mesure du déroulement l'interviewer note les points sur lesquels il devra revenir avant la fin de l'entretien. Il doit éviter de couper une réponse ou le fil d'une série de questions pour demander une précision. Il note aussi les passages qui lui ont paru obscurs pour demander des éclaircissements.

— La clarté sur la stratégie de l'interviewé : quand l'interviewé répond, il a un projet personnel, une idée de son statut et du rôle qu'il entend jouer. Ce projet n'est pas forcément celui de l'interviewer. Celui-ci ne doit pas perdre sa propre ligne de conduite et pour cela situer bien clairement la stratégie de l'interviewé.

— La clarté sur l'expression d'ensemble de l'interviewé : il s'exprime par sa parole, mais aussi par des gestes, des mimiques, des intonations. L'interviewer note tous ces signes.

LE BORDEREAU D'INTERVIEW

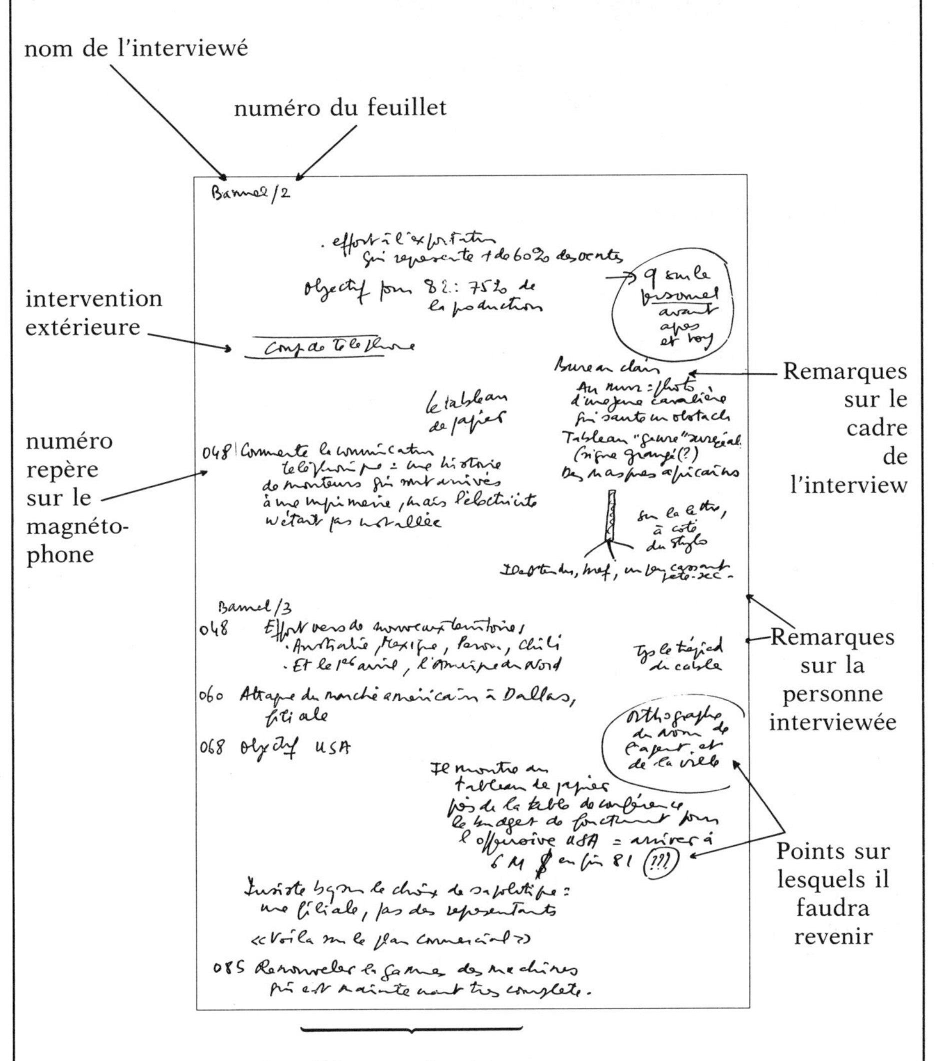

Interview de Baumel par Henri Deligny.

Donner un appel téléphonique

Pour qu'un appel téléphonique soit efficace, on le prépare, on s'y prépare. La communication téléphonique est difficile. On ne peut pas percevoir les réactions physiques de l'interlocuteur.

▲ Le poste téléphonique

— Pour être dans les meilleures conditions lorsqu'on donne un appel téléphonique, on place près de l'endroit où se trouve le poste un bloc-notes et un stylo.

▲ La préparation du message

— Pour chaque appel important on rédige précisément les moments clés de la communication sur un bloc.

▲ L'adaptation à l'interlocuteur

— Lorsqu'on prend contact téléphoniquement avec un inconnu, on recherche très rapidement sa catégorie socio-professionnelle, son âge, ses habitudes de vie de manière à adapter le message. En écoutant attentivement son propos, certaines expressions permettent de formuler des hypothèses que le reste de la conversation téléphonique doit confirmer.

— Lorsqu'on connaît son interlocuteur, certains critères sont à prendre en compte avant d'appeler : le choix du moment (pendant les heures de bureau ou en dehors des heures habituelles) le choix du lieu (bureau ou adresse personnelle),...

▲ La voix au téléphone

— La voix est importante au téléphone, l'interlocuteur ne peut nous voir. Elle est le reflet de la personnalité. On se construit une image de son interlocuteur à partir de la voix et du ton des paroles. Souriant et alerte au téléphone, on donne l'impression favorable d'un dynamisme à toute épreuve. Pour donner l'image la plus favorable on veille à :

— L'intensité : se forcer à ne pas crier dans le micro. Au téléphone, plus on crie, moins on entend distinctement. Parler normalement, comme si l'interlocuteur était tout près de nous.

— Le débit : le débit habituel est d'environ 180 mots à la minute. Au téléphone il faut ralentir et le ramener à 140 mots environ. On ralentit le débit car l'interlocuteur ne peut suivre le discours en regardant les gestes, les yeux, les lèvres.

— Le combiné : tenir le micro du combiné à quelques centimètres en face de la bouche. La voix est déformée lorsque l'on parle en coin. Placer la main en cornet devant le micro pour diminuer les bruits d'ambiance.

D'AUTRES UTILISATIONS DU TÉLÉPHONE

Le transfert d'appel

— C'est un service qui permet de transférer un appel d'un poste sur un autre poste.

— Exemple d'emploi : vous sortez de votre bureau, demandez à un collègue de recevoir vos appels. Il répondra pour vous.

— Comment faire ?

Utilisation du service				
Décrocher		Composer numéro du destinataire du renvoi: * 2 1 * ▭ #		Raccrocher
Annulation				
Décrocher		Composer: # 2 1 #		Raccrocher
Vérification (de la demande)				
Décrocher		Composer numéro du destinataire du renvoi: * # 2 1 * ▭ #		Raccrocher

La conversation à trois

— C'est un service qui permet de converser à trois. C'est une mini-réunion.

— Exemple d'emploi : ce service permet de prendre directement un rendez-vous entre trois collaborateurs, sans perte de temps par des appels successifs.

— Comment faire ?

Utilisation. Vous êtes A.				
A ⇄ B	A est en communication avec B.			
A.....B / C	Pour obtenir C en mettant B en attente	Appuyer		Composer n° de C ▭
A—B / C	Etablir la conversation à 3	Appuyer		Composer 3

Ce service s'annule automatiquement au raccrochage des 3 correspondants.

Le mémo-appel

— C'est un service qui vous permet d'être prévenu lorsqu'il est l'heure pour vous d'accomplir une tâche précise.

— Exemple d'emploi : vous êtes prévenu par la sonnerie de votre téléphone qu'il est l'heure de vous préparer pour partir à un rendez-vous,...

— Comment faire ?

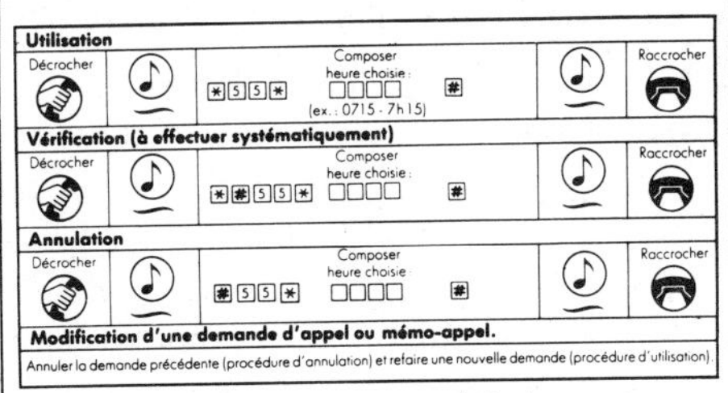

Utilisation				
Décrocher		* 5 5 * Composer heure choisie : ▢▢▢▢ # (ex. : 0715 - 7h15)		Raccrocher
Vérification (à effectuer systématiquement)				
Décrocher		* # 5 5 * Composer heure choisie : ▢▢▢▢ #		Raccrocher
Annulation				
Décrocher		# 5 5 * Composer heure choisie ▢▢▢▢ #		Raccrocher
Modification d'une demande d'appel ou mémo-appel.				
Annuler la demande précédente (procédure d'annulation) et refaire une nouvelle demande (procédure d'utilisation).				

Procédez à l'annulation de ce service avant d'utiliser à nouveau le transfert d'appel.

Le service mémo-appel est prévu pour des besoins occasionnels par tranche de 24h. Il ne donne pas lieu à la souscription d'un abonnement.

ATTENTION

Ces services sont accessibles aux postes à touches reliés à la plupart des centraux téléphoniques. Renseignez-vous auprès de votre agence commerciale des Télécom (composez le 14, appel gratuit). Notre personnel vous indiquera les services auxquels vous avez droit ainsi que leurs coûts.

Documents édités par la Direction Générale des Télécom.
Direction des Affaires Commerciales et Télématiques.

Recevoir un appel téléphonique

Le premier instant d'une communication téléphonique détermine la tonalité de l'entretien. En se concentrant sur la communication dès l'appel, on donne à l'interlocuteur une impression favorable.

▲ L'accueil du correspondant : les présentations

— Donner tout de suite le nom du service (lorsque le correspondant est passé par un standard).
Donner également son nom et sa qualité. C'est un moyen de personnaliser la communication.
Selon le moment de la journée ajouter un bonjour ou un bonsoir (à partir de 16 heures).

— Si le correspondant ne se présente pas :
Faire préciser son nom, sa raison sociale, son numéro de dossier lorsqu'il appelle pour un motif plus personnel. Noter ces renseignements sur un bloc notes. On améliore la communication en appelant à certains moments l'interlocuteur par son nom.

▲ Comment faire patienter un interlocuteur

— L'interlocuteur demande à être mis en relation avec quelqu'un qui n'est pas immédiatement disponible. Dans ce cas on fournit l'explication et on offre un choix au correspondant. *Exemple :* Monsieur M. est en communication pour l'instant. Désirez-vous attendre ou préférez-vous qu'il vous rappelle un peu plus tard ?

▲ Comment renseigner quelqu'un

— Lorsque la question est clairement formulée et que la réponse est connue : donner le renseignement immédiatement.

— Parfois sous la question se cache un problème complexe qu'il faut démêler. Une écoute attentive permet d'amener le correspondant à énoncer le but de son appel. Alors, selon le cas on peut répondre à l'appel ou orienter l'interlocuteur vers la personne la mieux placée pour résoudre le problème.

▲ Comment affronter un interlocuteur en colère

— Adopter une attitude conciliatrice : Ecouter et dire « Je ne suis pas sûr de comprendre : dites m'en davantage. »

— Ne pas chercher à se justifier : dire par exemple : « Je vous comprends. »

— Déterminer les faits, ce qui est en cause, pourquoi, comment.

— Réparer lorsqu'on est en situation de le faire; dire : « Voyons ensemble les possibilités qui s'offrent à nous. »

L'ENTRETIEN TÉLÉPHONIQUE

Conclure un entretien

— Qui doit conclure ?
Celui qui a pris l'initiative de l'appel et qui l'a conduit.

— Quand conclure ?
Le plus rapidement possible, dès que l'on a recueilli les informations recherchées. Lorsque l'interlocuteur manifeste son accord avec ce qui lui est présenté.

— Comment conclure ?

• Lorsque l'interlocuteur n'est pas conquis,
Pratiquer la reformulation « Si je vous ai bien compris, ... »
Laisser parler et écouter.
Résumer l'entretien en faisant ressortir d'abord les objections réelles, en les adoucissant.
Souligner les points d'accord et les mettre en valeur.

• Lorsque l'interlocuteur est conquis,
Faire le bilan des points positifs de l'entretien.
Relever sans insister les points de désaccord.

• Dans les deux cas :
Parler sur un ton convaincant et entraînant.
Ne pas hésiter dans sa formulation.
Parler par phrases affirmatives.
Utiliser des verbes conjugués au présent.

— Que préciser ?
Définir qui doit faire quoi.
Définir quand (pour quelle date précise) les actions décidées doivent être réalisées.
Récapituler les étapes du déroulement des opérations à venir.

— Prendre congé.
La prise de congé se réalise avec brièveté et courtoisie.
Remercier de l'intérêt témoigné.
Aborder brièvement les sujets divers (loisirs, famille, ...) lorsque l'interlocuteur est un proche.
Saluer l'interlocuteur, sans oublier les autres personnes présentes éventuellement.

Que dire pour

— Connaître le nom d'un responsable :
« Non, je n'ai pas son nom sous les yeux. Il s'agit de Monsieur... Je cherche à joindre le responsable du service, mais je n'arrive pas à lire son nom au bas de cette note. Il s'agit de Monsieur... »
— Entrer directement en contact :
« Il est occupé ce matin ? Pouvez-vous m'aider à trouver dans son emploi du temps le moment qui le dérangera le moins afin que je le rappelle.
C'est personnel, Mademoiselle, pouvez-vous me le passer ? »
— Quitter un correspondant :
« Je vous remercie, Monsieur M., pour le temps que vous m'avez accordé. Au revoir. Merci beaucoup Monsieur. A lundi prochain. »

Donner du poids à ses paroles

Dans une communication téléphonique, pour que la parole soit efficace on peut :
Ralentir sensiblement le débit.
Accentuer les mots-clés en les enveloppant d'un silence avant et après.
Parler sans chercher ses mots (d'où la nécessité de préparer son argumentation par écrit et de la répéter).
Utiliser un vocabulaire et des phrases simples (sujet + verbe + complément).
Ne pas répéter le même argument.
Enchaîner la conclusion à l'argumentation.

Prendre rendez-vous par téléphone

Pour joindre directement un correspondant afin de convenir d'un rendez-vous avec lui, on doit souvent passer le barrage du standard et du secrétariat. Une stratégie en trois temps permet de parvenir à ses fins : l'identification, l'explication et la prise de rendez-vous.

▲ L'appel : la standardiste et la secrétaire

— Le standard est en ligne : donner le nom de la société à laquelle on appartient ; indiquer très rapidement les responsabilités qu'on occupe dans cette société ; demander le responsable du service que l'on veut joindre, ou le secrétariat de ce service.

— Le secrétariat est en ligne : donner son nom, les responsabilités qu'on occupe, le nom de la société qui nous emploie.
Convaincre du bien fondé de l'appel. On donne la raison globale sans entrer dans les détails.
Demander à parler au responsable du service. Lorsqu'on le connaît, on l'appelle par son nom et on le désigne par le titre de sa fonction.

▲ L'interlocuteur est en ligne : la prise de contact

— Donner le plus rapidement possible toutes les informations concernant la société dans laquelle on travaille et le rôle qu'on y joue.

— La découverte : cette phrase consiste à poser une question à réponse induite affirmative. Ainsi l'interlocuteur s'engage positivement dans l'échange. La formulation de cette question a pour objectif de ne laisser aucune possibilité de fuite.

▲ L'argumentation pour obtenir un rendez-vous

— La difficulté consiste à ne pas tout dire au téléphone. On appelle l'interlocuteur pour convenir du rendez-vous. Il ne s'agit pas de vanter le produit, mais de persuader l'interlocuteur qu'il trouvera intérêt à accorder un rendez-vous.

— L'argumentation est claire et concise. Pas plus de huit à dix lignes de texte écrit.

— Le principe de sélection des arguments : la prise de contact avec votre entreprise va bénéficier à l'interlocuteur. C'est dans son intérêt qu'il accordera de son temps.

— Juste après l'argumentation on propose un choix à l'interlocuteur. Ou il souhaite la rencontre, ou il ne la souhaite pas. On évite la réponse négative en déplaçant l'objet de la question.
Exemple : « Préférez-vous que nous nous rencontrions jeudi à 17 heures ou lundi dans la matinée ? »

EXEMPLE DE PRISE DE RENDEZ-VOUS PAR TÉLÉPHONE

Au standard

« Allo, Bonjour mademoiselle, ici la société S Pourrais-je parler à monsieur M du service F ? »

Au secrétariat

« Allo, service F ? Bonjour mademoiselle, ici Z, de la société S Je suis responsable (secrétaire) du service C Pourrais-je avoir l'avis de monsieur M, le responsable du service F sur un produit que ma société souhaiterait lui présenter ? »

A l'interlocuteur

« Bonjour monsieur M Ici, Z de la société S Nous sommes une entreprise de matériel chirurgical. Je suis chargé de l'amélioration de nos produits. Vous êtes bien, je crois, responsable des achats de l'hôpital H ? Puis-je vous demander si vous employez des scalpels électriques ? »

L'argumentation

« Voulez-vous me donner votre avis sur un modèle que nous sommes en train de mettre au point ? »

La technique de l'alternative

« Préférez-vous que nous nous rencontrions jeudi à 17 heures ou vendredi dans la matinée ? »

La confirmation du rendez-vous

« Bon et bien alors c'est convenu. Je passerai prendre vos remarques et suggestions lundi à 10 heures dans votre service, avec un échantillon du matériel. »

La formule de politesse

« Monsieur, je vous remercie pour le temps que vous m'avez accordé. Je vous souhaite une bonne journée. Au revoir, à lundi. »

La conclusion de l'entretien

Lorsque l'interlocuteur accepte le rendez-vous, on vérifie que l'adresse est toujours exacte. On reprécise le lieu, la date, le jour et l'heure du rendez-vous afin d'éviter tout malentendu. On indique son numéro de téléphone pour qu'en cas d'empêchement l'interlocuteur puisse nous prévenir.

La clôture de l'entretien s'opère par une formule de politesse. On la dit avec le sourire, mais sans triomphalisme. On ne donne pas à l'interlocuteur l'impression d'avoir « perdu une manche ».

Parler pour vendre

L'argumentation orale, contrairement à l'argumentation écrite (que l'on lit) se construit au fur et à mesure que l'on parle. Le discours peut se construire en cinq étapes.

▲ Première étape : La recherche d'un terrain d'entente

— Le terrain d'entente est un consensus minimum entre les deux interlocuteurs pour amorcer la discussion.

— Comment dégager un terrain d'entente ?
Se mettre un instant à la place de l'interlocuteur. Que pense-t-il ?
Poser une question qui entraîne une réponse positive. Déjà l'interlocuteur affirme un accord.
Exemple : Ne pensez-vous pas, monsieur D., qu'un stock important de pièces de tissu dans un magasin d'ameublement, c'est de l'argent qui dort ?

— Parfois les opinions sont tellement éloignées qu'il est difficile de trouver un terrain d'entente. On peut alors tenter d'analyser le désaccord.

▲ Deuxième étape : Exposer un avantage

— C'est souligner ce qui améliorera le comportement de l'interlocuteur.

— Comment découvrir les motivations de l'interlocuteur ?
Repérer qui il est, à travers ses paroles, ses attitudes.
Pour convaincre, il faut laisser l'interlocuteur s'exprimer.
Exemple : Vous venez de dire que vous souhaiteriez augmenter votre rayon linge de maison. C'est une bonne idée. En présentant nos échantillons plutôt que les pièces de tissu, vous pourriez gagner de la place.

▲ Troisième étape : Illustrer cet avantage

— L'exemple doit être proche de la vie quotidienne de l'interlocuteur. Plus on s'éloigne de celle-ci, plus on diminue ses chances de convaincre.
Exemple : Votre confrère La Maison du Rideau s'est rallié à cette politique de présentation. Ça lui a permis d'éviter la manutention des pièces pour chaque vente. Et ce n'est pas à vous que je dirai le poids d'une pièce !

▲ Quatrième étape : Évoquer les conséquences d'un accord éventuel

— On montre à l'interlocuteur les avantages qu'il pourrait en tirer.
Exemple : Le présentoire pour les échantillons occupe une surface au sol de trois mètres carrés.

▲ Cinquième étape : Vérifier l'impact de ses arguments

— Amener l'interlocuteur à apprécier positivement la proposition qu'on lui fait : reprendre brièvement l'ensemble de la démonstration sous forme d'une question fermée à réponse positive.
Exemple : Il vous faut gagner de la place. La vente sur échantillon, vous permet de diminuer le capital immobilisé et surtout vous libère de la surface au sol. Admettez que ma proposition vous offre de sérieux avantages.

POINTS DE REPÈRE

Comment être persuasif ?

Personnaliser les avantages.
Citer des références.
Citer des témoignages.
Raconter une anecdote, histoire réelle ou non.
Illustrer à l'aide de dessins, schémas.
Fournir des explications.
Effectuer une démonstration.

Pour conserver la parole

L'interlocuteur tente d'interrompre l'argumentation. Vous répliquez :
— Un instant, s'il vous plaît, laissez-moi terminer. Je voulais dire...
— Je n'ai pas terminé, je disais que...
— Je voudrais continuer jusqu'au bout, si vous n'y voyez pas d'inconvénient. Je disais que...
— Je vais jusqu'au bout, si vous le voulez bien. J'étais en train de dire que...

Douze manières de convaincre les gens, selon Carnégie Dale.

1. Le seul moyen de remporter la victoire dans une discussion, c'est de l'éviter.
2. Respectez les opinions de l'adversaire. Ne lui dites jamais qu'il a tort.
3. Si vous avez tort, admettez-le promptement et de bon cœur.
4. Commencer à parler avec douceur.
5. Poser des questions qui amènent automatiquement des réponses positives.
6. Laissez parler l'autre tout à son aise.
7. Laissez-lui croire que l'idée suggérée par vous vient de lui.
8. Essayez sincèrement de voir les choses du point de vue de vos interlocuteurs.
9. Donnez aux autres la sympathie, la compréhension et même la compassion dont ils sont avides.
10. Faites appel aux bons sentiments de votre interlocuteur.
11. Frappez la vue et l'imagination.
12. Lancez un défi.

Le discours, les effets persuasifs :

	Exemples	Intentions - objectif visé :
1. L'effet de méthode	*Énoncer des chiffres, des références*	clarifier, classer.
2. L'effet d'évidence	*« Il est nécessaire... Il faut... »*	mettre en avant des convictions.
3. L'effet de doute	*« Comment pouvez-vous d'une part... et d'autre part... ? »*	mettre en difficulté en questionnant.
4. L'effet d'implication	*« Vous avez pu constater vous-même... »*	mettre en cause ou impliquer le partenaire.
5. L'effet d'exemplarité	*« moi-même j'utilise... »*	faire valoir ses idées ou ses attitudes comme gages de réussite.
6. L'effet de complicité	*« je partage votre avis... »*	empêcher la critique en reprenant ce qui est accepté dans les propos du partenaire.

Repérer les erreurs d'écoute

Ecouter quelqu'un pour lui-même, et non pour soi, c'est exercer un pouvoir : celui d'entendre. Se centrer sur ce qui est vécu par lui plutôt que sur les faits qu'il évoque dénote une attitude de compréhension sans établir de climat critique. Lors d'un entretien deux personnes sont face à face : B venue exposer son problème et A qui est censée écouter B pour l'aider.

▲ La réponse « solution du problème »

— Immédiatement, A conseille à B d'aller consulter quelqu'un d'autre ou bien A conseille une méthode qui conduirait B vers une solution.
— Résultats : B se sent éconduit; B se sent obligé d'adopter une solution, une idée qu'il n'a pas choisies et qui correspondent à ce que ferait A et non lui-même.

▲ La réponse jugement moral

— En réponse à B, A présente un conseil moral, il peut s'agir d'une mise en garde, d'une approbation ou d'une désapprobation.
— Résultats : B se sent jugé soit freiné, culpabilisé, révolté ou angoissé mais de toutes façons infériorisé même s'il est approuvé dans sa démarche.

▲ La réponse investigatrice

— Cette fois, elle consiste à poser des questions à B pour obtenir des compléments d'informations que A juge indispensables : A insiste sur tel ou tel détail qui lui paraît avoir été oublié par B.
— Résultats : B s'oriente par rapport à A et laisse dans l'ombre ce qu'il avait réellement envie de dire, B peut aussi réagir de manière hostile, car il se sent mis en cause : il n'a pas été capable de faire le tour de la question ?

▲ La réponse qui interprète

— Dans ce cas, A opère un tri dans ce qui lui est dit. A répond en reprenant partiellement ce qui lui a été dit. Il déforme le sens de l'ensemble du propos.
— Résultats : B ne comprend pas, s'étonne car il ne reconnaît qu'en partie ou plus du tout ce qu'il a dit (« Ce n'est pas exactement ce que je viens de dire... »). B peut s'irriter, se bloquer ou se désintéresser. A finit par en dire plus long que B.

▲ La réponse-soutien

— Elle encourage, elle soutient moralement, elle rassure et compâtit. A peut faire allusion à une situation parallèle vécue par lui. A raconte alors son expérience pour montrer combien il se sent proche de B. Il dédramatise.
— Résultats : B peut se laisser leurrer par une sorte de consolation et devenir passif. Il peut aussi refuser d'être pris en pitié et se taire.

POINTS DE REPÈRE

La bonne attitude d'écoute

— Ecouter quelqu'un, c'est faire un effort pour comprendre le problème tel qu'il est vécu par l'autre.

— Dans un entretien, l'écoute idéale se repère au type d'intervention qu'elle suscite : « la réponse compréhensive ».

— Quand est-on sûr d'avoir écouté quelqu'un ?
• Lorsqu'on est capable de redire les propos dans leur ensemble sans les déformer.
• Lorsqu'on est capable de dire à l'autre les sentiments perçus dans son message et que cette personne est d'accord.

— Cette attitude de compréhension produit deux effets :
• Elle donne confiance à l'interlocuteur qui se sait écouté.
• Elle l'entraîne à s'exprimer davantage.

Les mauvaises habitudes d'écoute

— Dire du sujet qu'il est ennuyeux.
— Couper la parole.
— Cesser d'écouter l'ensemble de l'argumentation et préparer une réplique sur un point évoqué.
— Ne chercher que les faits.
— Faire semblant d'écouter.
— Tolérer les distractions venant de l'extérieur.
— Critiquer l'apparence extérieure de la personne qui parle.
— Se laisser influencer par le langage ou les expressions trop chargées affectivement.
— Ne rien noter.
— Perdre le fil de la discussion.
— Faire comme si on n'avait pas entendu.

ENTRAÎNEZ-VOUS

Voici un fragment d'entretien. Six réponses sont proposées. Choisissez celle qui se rapproche le plus de ce que vous auriez pu dire à la personne. Déterminez quel type d'attitude d'écoute vous avez.

Fragment de l'entretien :
Je ne sais pas quoi faire. Ah ! je ne sais vraiment pas si je dois reprendre mon poste de dactylo... cela me porte tellement sur les nerfs, mais j'ai une stabilité et un bon salaire ; ou alors abandonner et faire ce qui m'intéresse en tout cas un travail plus varié mais cela m'obligerait à débuter en bas de l'échelle avec un salaire faible... Je ne sais pas si je pourrais.

Les réponses	Votre choix
1. Et qu'est-ce qui vous intéresse vraiment maintenant ?	
2. Attention, on sait ce qu'on a, on ne sait pas ce qu'on trouve !	
3. Eh bien ! ce n'est pas désespéré, il s'agit de savoir dans quel service vous pourriez être mutée. Je vous prends un rendez-vous avec le chef du personnel.	
4. Votre embarras s'explique : d'un côté vous hésitez à lâcher votre poste et de l'autre vous ne savez pas quel autre emploi pourrait vous convenir.	
5. C'est vraiment une décision difficile. Ou bien courir les risques de débuter dans une nouvelle branche ou bien s'en tenir à la sécurité d'un travail qui vous déplaît.	
6. Vous vous faites trop de souci. Vous usez vos nerfs. Tout finira par s'arranger.	

Les participants à une réunion

Certains assistent à des réunions sans y participer réellement. Et il arrive parfois que ce soit à l'issue de la réunion ou au cours d'une pause que ces personnes se prennent à émettre leurs points de vue. Les autres développent une stratégie d'intervention plus ou moins consciente. L'objectif de cette page est d'éclairer ces divers comportements.

▲ Les participants qui n'interviennent pas en réunion

— La peur du groupe
Toutes les personnes sont vues comme un bloc, elles ne forment qu'un seul corps, et l'individu éprouve un sentiment d'infériorité, il est seul contre tous.
Une tension s'établit à l'idée d'être soumis au regard et au jugement des autres : les idées seront-elles appréciées ou considérées comme banales ? stupides ?
Le sentiment de ne pas être dans son milieu existe. Plus le participant se sent appartenir à un statut social inférieur, moins il parvient à prendre la parole.

— La tendance au conformisme
La connaissance de l'opinion qui prévaut dans le groupe agit comme un aimant sur les opinions personnelles. Face à cela, l'attitude est de s'enfermer, de s'isoler dans une opposition systématique ou le plus souvent de se rallier à l'opinion majoritaire. Plus la structure est conventionnelle, plus l'opinion de ceux qui ont un statut social supérieur sera admise facilement.

— La crainte des tensions
Les participants pensent que toute tension est négative. Ils évitent donc de donner leur avis personnel et acceptent rapidement telle ou telle opinion pour parvenir à l'unanimité. La conséquence est une baisse de la spontanéité.

▲ Les participants qui interviennent en réunion

— La nécessité de se réunir implique qu'il y a une tâche à accomplir à plusieurs. Voici réunies dans le tableau ci-dessous toutes les attitudes possibles positives et négatives de la part des membres d'un groupe en réunion.

Les attitudes positives	Les attitudes négatives
— Montrer de la solidarité : apporter un exemple pour venir en aide à une personne qui n'en trouve pas. — Elever le statut des autres. — Encourager. — Montrer une détente : plaisanter, rire, exprimer sa satisfaction. — Écouter et reformuler. — Ne pas couper la parole. — Se montrer conciliant, aquiescer.	— Opposer un refus passif. — Refuser l'aide. — S'enfermer dans le conformisme. — Penser tout haut. — Bavarder. — Attendre sans jamais intervenir. — Montrer ostensiblement son agacement, son indifférence. — Dénigrer le statut des autres. — Se retirer du débat.

POINTS DE REPÈRE

Pour une meilleure communication

— S'entretenir au sein d'un groupe pose des problèmes de communication à résoudre. *Exemples* : celui qui parle a peu de vocabulaire il n'est pas sûr de sa grammaire, ceux qui écoutent le comprennent mal.

Comment éviter un long silence ou une situation de gêne ?

— Pour celui qui parle :
Ne pas s'affoler : la phrase orale progresse par redites, par rebondissements. *Exemple* : « je crois, je crois que... »
Chercher une comparaison : « C'est comme si... »
L'image souvent fait comprendre l'idée.
— Pour celui qui écoute :
Demander des explications.
Offrir des précisions.
Compléter les phrases incomplètes.

Quelques formules utiles

— Pour faire une proposition :
« Je trouve que nous devrions... »

— Pour introduire une contreproposition :
« Je suis d'accord mais je pense aussi que... »

— Pour commenter l'idée de quelqu'un :
« L'idée de M. ... est excellente et je crois... »

— Pour résumer ce qui a été dit :
« Donc, si nous voulons résumer... »

— Pour préciser une idée par l'analogie :
« C'est un peu comme si... »

— Pour montrer qu'on écoute :
« hm... oui... oui... »

— Pour encourager une intervention :
« Qu'est-ce que vous en pensez, M. B... ? »

ENTRAÎNEZ-VOUS

Analyser son attitude
Voici 15 situations. Quelles sont celles qui dans votre cas expliqueraient un manque ou une absence de participation ?

	oui	non
1. Vous attendez toujours qu'on vous donne la parole.		
2. Vous attendez le meilleur moment pour intervenir et il ne vient jamais.		
3. Vous craignez de prolonger la discussion et vous n'avez pas le temps.		
4. Il y a un conflit entre 2 ou 3 personnes qui monopolisent la parole.		
5. Vous avez décidé à l'avance de ne pas « vous mouiller ».		
6. Vous éprouvez un sentiment d'infériorité.		
7. Il est impossible de vous faire entendre à cause du brouhaha.		
8. Vous être mécontent(e) d'avoir eu la parole coupée.		
9. Vous ressentez un mécontentement intérieur parce que vous êtes obligé(e) d'être là.		
10. Vous êtes impressionné(e) car personne ne se connaît.		
11. Vous trouvez trop intimidante la présence d'observateurs étrangers.		
12. Vous êtes en opposition avec certaines personnes du groupe.		
13. La présence d'un supérieur hiérarchique vous rend muet(te).		

Argumenter dans un débat : la construction du discours

Au cours d'un travail de groupe, les participants à un débat expriment des points de vue différents. Chacun tente de convaincre les autres. Pour cela il faut mobiliser ses idées, construire une argumentation et utiliser des effets persuasifs.

▲ Mobiliser ses idées

— L'analogie : Elle établit des rapprochements, des ressemblances à partir d'idées déjà trouvées, de situations déjà vécues. *Exemple :* Cette situation, c'est comme si...

— Le contraste : Il recherche les situations opposées, les opinions, les idées antagonistes. *Exemple :* Cette situation, c'est juste l'inverse de...

— La proximité : Elle met en valeur ce qui se passe en même temps que les faits qu'on analyse. On établit des parallélismes. *Exemple :* Des hommes meurent de faim en Ethiopie - au même moment, en Europe, on détruit de la nourriture.

▲ Construire une argumentation

Il existe plusieurs organisations possibles de l'argumentation. Voici le plan SOSRA.

		Explication	Exemple
S	Situation	On décrit la situation dans laquelle s'inscrit le problème.	L'aide internationale apporte aux pays sinistrés la nourriture dont ils ont besoin.
O	Observation	On apporte des informations nouvelles. On disqualifie par des renseignements défavorables la situation antérieure.	Or on constate que l'arrivée de cette nourriture bon marché incite les paysans à abandonner les cultures vivrières.
S	Sentiment	On donne son avis sur la question. On s'exprime alors de la façon la plus communicative possible : gestes d'ouverture, sourire,... ;	C'est pourquoi je pense que cette forme d'assistance est malheureusement inopérante.
R	Réflexion	On explique les raisons de son choix. On illustre l'explication d'exemples qui concernent les membres du groupe.	En effet, on crée un besoin que les populations ne pourront satisfaire seules. On les place en situation de dépendance. Vous l'avez constaté dans le cas du village de V que nous aidions.
A	Action	On propose des décisions au groupe en lui demandant son avis.	C'est pourquoi je propose à votre réflexion de limiter notre aide à la formation technique des agriculteurs pour les conduire vers l'indépendance.

POINTS DE REPÈRE

Autres plans

— L'organisation traditionnelle

1. De qui s'agit-il ?

2. De quoi s'agit-il ?

3. Où l'action s'est-elle passée ?

4. Quels moyens ont été mis en œuvre ?

5. Dans quel but l'action a-t-elle été menée ?

6. De quelle manière s'est-elle déroulée ?

7. A quel moment s'est-elle passée ?

— Le plan AIDA

A : Attirer l'Attention

I : Inspirer l'Intérêt

D : Déclencher le Désir

A : Accord pour Agir.

— Le plan FOA

F : les faits. On part des faits que l'on a vécus, de ce que l'on a pu constater par soi-même.

O : les opinions, Il ne s'agit pas de dire j'aime ou je n'aime pas. C'est un jugement sur la réalité porté avec objectivité. On regarde si l'on avance ou si l'on recule par rapport à l'objectif qui était fixé.

A : les actions proposées. Elles tendent à la faire progresser vers l'objectif. Elles se fondent sur une analyse (O) de la réalité (F).

Quelques principes de construction

— Une argumentation courte et bien organisée est plus percutante qu'un long délayage.

— Une série préparée d'arguments isolés constitue une aide appréciable dans un débat.

— L'usage de termes grammaticaux (donc, enfin, cependant, toutefois, ...) donne de la cohérence au discours.

— Sous des formes différentes, la répétition d'un même argument sert à persuader.

ENTRAÎNEZ-VOUS

Proposez des réponses argumentées aux situations suivantes :
Votre chef vous dit :
— « Vous avez suivi un stage de formation de huit jours et je ne vois pas d'amélioration des résultats. »
Un agent de police vous signale :
— « Vous êtes passé sans marquer le stop ! »

Le débat : l'organisation

Pour trouver la solution à un problème, on organise parfois un débat. Le débat ne s'improvise pas. C'est une forme de travail de groupe dont il faut organiser la préparation, le déroulement et le compte rendu.

▲ La préparation du débat

— L'animateur doit dominer le sujet. Cela lui permet d'être plus attentif au fonctionnement du groupe.

— Choisir la méthode de réunion. Elle est fonction de la composition du groupe et elle dépend de la personnalité de l'animateur. La conduite du débat sera plus ou moins directive.

— Envoyer les convocations. Prévoir la date suffisamment à l'avance pour que les participants puissent se libérer.
Préciser le jour, le lieu, l'heure, le sujet et l'objectif du débat, la durée prévue du débat.
Joindre un dossier d'informations pour aider à la préparation du débat. Trop épais, il a peu de chance d'être lu.

Rôle des participants :

— Réfléchir aux problèmes qui seront abordés, s'informer, se documenter, organiser ses découvertes selon le plan : je constate - je pense - je propose.

▲ Le déroulement du débat

— Introduire le débat. Durée 5 à 10 minutes.
Exposer clairement le sujet pour se faire bien comprendre de tous les participants.
Poser une question afin de placer immédiatement les participants en situation de réflexion.
Rappeler l'objectif. Les participants savent pourquoi ils discutent.
Définir la méthode de travail.
Lancer la discussion par une reformulation de ce qui a été présenté.

— Animer le débat.
Veiller au respect des procédures de travail, sans autoritarisme ni laxisme.
Faire le point par rapport à l'objectif général du débat et par rapport au plan de travail.
Formuler des synthèses partielles. Elles reprennent l'essentiel des idées.
Relancer la discussion lorsque le débat s'essouffle.

POINTS DE REPÈRE

Les conditions matérielles du débat

— La salle : les dimensions doivent être adaptées au nombre de participants. Si la salle est trop petite, les participants manquent d'espace ; si elle est trop grande, ils se sentent perdus.

— L'éclairage de la salle doit être assez fort pour permettre une écriture et une lecture dans de bonnes conditions.

— Si des appuis visuels sont nécessaires (film, magnétoscope, rétroprojecteur) la présence de rideaux est indispensable.

— Le chauffage dans la salle de réunion doit être modéré afin d'éviter l'assoupissement.

— Les tables sont vastes pour que chaque participant dispose le matériel, pose ses documents, prenne des notes.

— Les sièges sont en nombre suffisant pour que chacun soit assis. Ils sont confortables, cela améliore le rendement des débats.

— On peut prévoir, à proximité immédiate de la salle de réunion :
un poste téléphonique,
un vestiaire,
des toilettes en bon état.

Causes de non-participation

— Causes venant des participants :
peur d'être jugé par les autres,
complexe culturel, on a peur de ne pas parler correctement le français.

— Causes venant de l'animateur :
il privilégie ses connaissances ou la hiérarchie,
il impose son point de vue,
il ne s'implique pas assez dans le travail du groupe.

— Causes venant du groupe :
formation de clans exclusifs qui n'acceptent pas les autres participants,
groupe non ouvert aux nouveaux participants.

— Causes techniques :
salle inconfortable,
ordre du jour obscur,
incompréhension de la nécessité du travail.

Les méthodes d'animation

— Le style directif
L'animateur intervient de plusieurs façons :
Il donne son avis sur les idées du groupe.
Il impose l'objectif, la façon de travailler, le point de vue sur le problème,...
Il organise le débat selon une structure dont il est le centre : toutes les idées passent par lui.

— Le style coopératif
L'animateur présente l'objet du débat.
Il travaille avec le groupe pour définir l'objectif, la problématique du sujet, la méthode et le plan de travail.
Il organise les échanges entre les participants.
Il explique les phénomènes de groupe.

ENTRAÎNEZ-VOUS

En faisant appel à vos expériences passées, quelle méthode d'animation préférez-vous lors d'un débat : style directif ou style coopératif ?
Essayez d'expliquer les raisons de votre préférence.

Faire participer un groupe

Il est important de faire naître ou d'augmenter la participation dans tout type de réunion. Les participants éprouvent de la déception s'ils ont gardé le silence et au contraire de la satisfaction s'ils ont réussi à s'exprimer. La participation améliore la confiance en soi, elle est un facteur d'efficacité.

▲ Faire participer un petit groupe

Solliciter l'avis de tous	— multiplier les appels à la participation; — encourager chacun par une attitude aimable, calme et patiente;
Empêcher toute tentative de limitation de la parole d'un participant vis à vis d'un autre	— relativiser les propos agressifs. Par exemple, si une personne affirme qu'un autre avis que le sien est sans fondement, intervenir en disant qu'il s'agit là d'un point de vue et qu'il y a sans doute beaucoup d'autres opinions;
Rester neutre	— n'exprimer aucun jugement de valeur; — maîtriser toute attitude qui pourrait traduire un signe quelconque : intérêt, désapprobation...
Ne pas intervenir sur le fond de la discussion	— ne considérer aucune opinion comme définitive tant qu'elle n'a pas reçu l'assentiment de tous; — signaler qu'une opinion ne reflète qu'un aspect du problème; — accepter qu'une synthèse d'opinions soit impossible; — reformuler les différents courants d'opinions.

▲ Faire participer un grand groupe

— Pour lancer une discussion on demande à l'ensemble du public de poser des questions. Voici deux procédés utiles :

Méthode 1 (avec un animateur et un conférencier)	Méthode 2
— L'animateur note les questions. — Il lit chaque question et la reformule à voix haute. — Il n'écarte aucune question et reste neutre. — Il classe les questions par catégorie (historique - politique - polémique/...). — Il pose les questions ainsi triées au conférencier.	— Des papiers sont distribués. — Les questions sont rédigées par les participants. — Des volontaires ramassent les papiers. — Si les questions sont relues à haute voix, cela permet parfois de susciter d'autres questions. — Le conférencier analyse rapidement les questions. — Il les regroupe et y répond.

LES MARGINAUX DE LA PARTICIPATION

	Comportement	Effet produit sur l'auditoire	
Le bavard	Il se répète ou fait des digressions à partir d'une idée. Il parle sans avoir réfléchi avant et est souvent amené à en dire trop. Le bavard ne sait pas écouter.	Il irrite et lasse l'auditoire. De plus en s'engageant trop avant, il prend des risques ou en fait prendre aux autres.	
Le silencieux complice	Il parle peu sauf pour approuver. Il hoche la tête pour acquiescer. Il écoute.	Il est considéré comme quelqu'un qui n'apporte pas grand chose de constructif.	
Le silencieux absent	Il rêve, il est ailleurs. Il n'écoute que rarement et par conséquent il intervient à contre temps.	Il est considéré comme quelqu'un qui ne s'intéresse pas à ce qui se passe, c'est le doux rêveur.	
Le silencieux tacticien	Il épie et n'intervient que pour contrer. Il marque des points ou se tait. il est tendu et écoute attentivement.	Il est perçu comme quelqu'un dont il faut se méfier.	
Le silencieux méprisant	Il ironise. Il se sert de mimiques pour exprimer son dédain. Il n'intervient que négativement.	Il peut paralyser les initiatives. Il est ressenti comme quelqu'un qui se protège, qui fuit.	

Diriger une réunion

Présider une réunion, c'est assumer plusieurs responsabilités : prévoir la réunion, l'organiser, la préparer. Le groupe attend beaucoup de celui qui dirige la réunion. Celle-ci sera efficace si le président de séance remplit son rôle.

▲ Les qualités du président de séance

— Celui qui dirige la réunion concentre son attention sur le groupe entier. Il est très présent et analyse rapidement ce qui se passe.
— Il désire faire progresser le groupe vers ses objectifs, il ne les perd pas de vue et organise le temps en fonction de l'ordre du jour. Il procède méthodiquement.
— Il encourage les personnes à participer, sollicite les timides et relativise les interventions des plus agressifs. Il distribue la parole de façon équitable.
— Il adapte son mode d'intervention aux phases de la réunion. Il se peut qu'à un moment il soit tenu d'apporter une information puis à un autre moment d'interroger le groupe etc. Il fait preuve de souplesse dans sa manière de procéder.

▲ Le déroulement-type

— L'ouverture de la réunion :
Après avoir prononcé quelques mots de bienvenue, celui qui dirige une réunion restreinte organise un tour de table et chacun se présente (nom et qualité). L'animateur se présente en dernier. S'il s'agit d'une réunion de plus de 20 personnes, l'animateur fait circuler une feuille de papier, chacun y inscrit son nom et sa qualité. La feuille est polycopiée et distribuée dans les instants qui suivent.
— L'exposé du thème :
Celui qui anime commence par rappeler le sujet de la réunion, ses objectifs, le temps imparti et l'horaire à suivre. L'animateur expose en 10 à 15 minutes de façon claire et construite le problème à examiner. Il motive les participants en leur soumettant une question précise.
— Suivre chaque intervention :
L'animateur doit contrôler ce qui se passe, comprendre et synthétiser rapidement. Il peut utiliser la technique des « petits carrés » :
Il dessine, autour d'un rectangle figurant la table, autant de carrés qu'il y a de participants. Chaque carré doit être assez grand pour y noter le nom de l'intervenant et les mots-clés de ses interventions. S'il se situe pour ou contre la proposition, on inscrit un signe + ou −. Si deux camps se distinguent, chaque camp reçoit une lettre, A et B par exemple. Ainsi l'animateur peut facilement appeler chacun par son nom, connaître l'opinion du groupe.
— Assurer la répartition du temps de parole :
Il incombe au président de séance de bien faire circuler la parole et d'éviter les dérives de la discussion. Quand une personne se perd en considérations hors sujet, l'animateur rappelle le point à discuter.
— La conclusion :
Celui qui dirige la réunion résume les positions. Il propose une conclusion. Son ton affirmatif clôt la séance.

POINTS DE REPÈRE

La technique des « petits carrés »

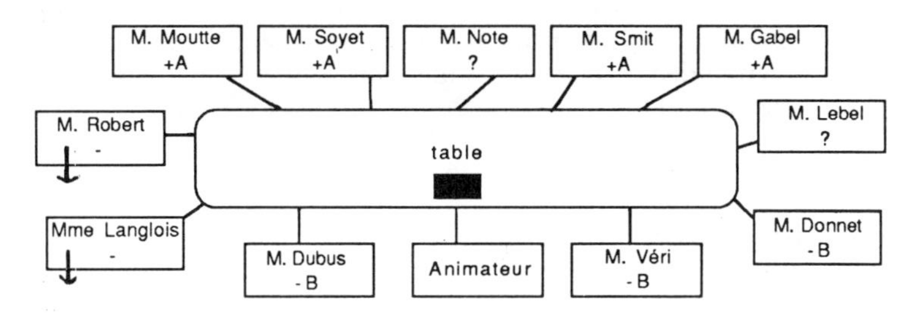

La discussion porte sur une augmentation des cotisations pour les membres de l'association.
Se prononcent « pour » M. Moutte, M. Gabel, M. Soyet, M. Smit. Leurs carrés reçoivent le signe + et la lettre A.
Se prononcent « contre » M. Véri, M. Donnet, M. Dubus. Leurs carrés reçoivent le signe – et la lettre B.
Mme Langlois menace de se retirer suivie de M. Robert si la cotisation est relevée. Leur carré porte le signe – et une flèche vers l'extérieur.
M. Lebel et M. Note restent hésitants, leur carré porte un ?

Les gestes

Celui qui préside une réunion doit être conscient de l'effet qu'il produit et posséder la maîtrise de ses gestes.

— S'il y a un texte à lire, le faire photocopier en gros caractères pour éviter de s'y plonger.

— S'entraîner à lire le texte comme si on parlait.

— Dès le début de la réunion, disposer le matériel nécessaire (pile de documents à distribuer - illustrations à montrer...) pour le manipuler le moins possible.

— Pendant l'intervention, les notes, papiers, documents restent loin des mains et loin des yeux.

— Un rapide coup d'œil sur les notes doit suffire. Le regard doit davantage se porter sur chaque participant.

— Les mains doivent rester libres pour les gestes convaincants.

ENTRAÎNEZ-VOUS

Sachez évaluer la prestation de celui qui dirige une réunion.

	oui	non
Ecoute-t-il avec attention chaque participant ?		
Encourage-t-il les plus timides ?		
Procède-t-il avec méthode dans l'énoncé des différents points ?		
Respecte-t-il l'horaire fixé ?		
Rappelle-t-il les objectifs à ceux qui s'en éloignent ?		
Est-ce qu'il répartit équitablement le temps de parole ?		
Fait-il une synthèse finale ?		
Les membres de la réunion se séparent-ils satisfaits du travail accompli ?		

Intervenir en réunion

Après un bref exposé, la communication d'informations, l'annonce d'un projet ou d'une décision à prendre, on vous demande votre avis, vos idées sur ces perspectives. Sans disposer d'un long temps de préparation, comment intervenir ?

▲ Apporter une explication

— Caractéristiques
L'explication répond à un besoin de comprendre, elle a un côté rassurant. L'intervention qui donne une explication déclenche l'attention.

— On peut construire une explication de 4 façons.
En proposant une définition : il faut être clair et précis en peu de mots tout en restant intelligible.
En comparant : cette démarche est simple et facile à comprendre. Elle établit des relations, fait apparaître des ressemblances et des différences.
En décrivant une situation : la description crée un cadre, un espace qui prend corps dans l'imagination.
En racontant des faits : le récit respecte ou reconstruit une chronologie.

— En décrivant et en racontant, on s'adresse aux sens, on insiste sur l'aspect concret.

▲ Argumenter

— Caractéristiques
L'argumentation est la construction d'un raisonnement qui s'adresse à la fois à l'intelligence et à la sensibilité. Pour argumenter efficacement, il vaut mieux être bref, ainsi l'argumentation sera retenue et séduira davantage qu'un délayage.

— La construction
Il faut connaître son point de départ et le point d'arrivée pour ménager le plus fort impact sur l'auditoire.
L'utilisation de mots de liaison comme « donc, enfin, or, c'est pourquoi » facilite la compréhension.
La répétition des arguments-clés établit les temps forts de l'intervention.

▲ Réfuter

— Caractéristiques
La réfutation est la réponse à un argument que l'on veut contrer. Elle est forcément improvisée puisqu'elle dépend de l'argumentation précédente.

— La construction
Réfuter exige d'écouter, de penser et de préparer une réponse. Il faut donc prendre note des arguments adverses, intervenir en reformulant avec l'accord de l'interlocuteur.
Exemple : « Si je vous ai bien compris... »
Enoncer la réfutation.
Développer l'argumentation de soutien.
Conclure en reprenant l'essentiel du message.

POINTS DE REPÈRE

Les erreurs qui vous discréditent

— Attaquer, critiquer le président de séance. Provoquer sa mauvaise humeur en l'accusant de ne jamais vous accorder la parole.
— Se substituer au président de séance : il ne vous incombe pas de faire un rappel à l'ordre à des participants bavards.
— Couper la parole à quelqu'un.
— Prêter certains propos à une personne qui ne les a pas tenus.
— Se tromper dans le nom d'une personne du groupe.
— Chercher à intervenir à tout prix ou se cantonner dans le mutisme le plus parfait.
— Revenir sur des questions tranchées.
— Dire ce que tout le monde sait.
— Oublier l'objet de son intervention en se perdant dans unc trop longue digression.
— Sourire ironiquement en écoutant quelqu'un.
— S'écarter du sujet.

Quelques conseils

— Le ton
Le ton doit être correct et poli sans être trop aimable. Articuler clairement permet la bonne compréhension de tous. Pour être entendu et compris, il est conseillé de ne parler ni trop vite ni trop faiblement et de faire un usage fréquent des pauses afin de mettre en valeur les points importants.

— Le regard
L'intervention s'accompagne d'un regard vers la personne ou le groupe. Un regard perdu, baissé ou dirigé vers le plafond ou l'extérieur affaiblit considérablement l'idée la plus géniale.

Les qualités d'une bonne intervention

— Elle contient des indications précises.
Exemple : « Parmi les trois principaux domaines évoqués, le premier me semble... ».
— Elle relie par des transitions fréquentes les différents éléments de l'explication.
Exemple : « Ceci dit, par ailleurs ».
— Elle utilise des substantifs de préférence à des pronoms.
Exemple : « la société » plutôt que « elle ».
— A l'inverse, une intervention qui manque son but fait un emploi fréquent de termes vagues comme : « Tout ceci - pas très - je peux me tromper, mais - une espèce de - assez - etc. - une sorte de - hum - euh - c'est-à-dire ».

ENTRAÎNEZ-VOUS

Sachez vous évaluer lors d'une intervention en réunion. Répondez aux questions suivantes par oui ou par non en cochant la colonne qui convient.

	oui	non
Avez-vous expliqué ?		
Avez-vous argumenté ?		
Avez-vous réfuté ?		
Avez-vous posé des questions ?		
Avez-vous illustré votre argumentation par des exemples ?		
Votre explication était-elle claire ?		
A-t-elle suscité de l'intérêt ?		
Avez-vous regardé bien en face votre interlocuteur ou le groupe ?		
Etiez-vous souriant et détendu ?		

Dans un groupe : la circulation de la parole

Les réseaux de communication, c'est-à-dire la circulation de la parole dans un groupe, influencent les attitudes, le moral et le travail collectif. On peut rencontrer quatre types de structures différentes.

▲ Les réseaux de communication

— Dans un groupe, les communications se structurent toujours, que le groupe doive ou non accomplir une tâche précise. Cette organisation de la communication contraint les échanges à suivre les voies établies par le groupe.

— L'étude des réseaux de communication dans un groupe de travail permet de repérer les différences de statut entre les participants. Reconnaître le leader est un moyen efficace pour faire partager son point de vue dans le débat.

▲ L'étoile

— Cette organisation de la communication se caractérise par l'existence d'une inégalité dans les échanges. Un individu particulier (le leader) est en relation plus intense avec tous les membres du groupe. Toutes les communications passent par lui. Il se situe au centre des échanges, centralise les interventions, et les renvoie aux membres du groupe. C'est ce qui se passe dans une classe traditionnelle ou toute la communication passe par le maître,

— Intérêt de cette structure : elle est très efficace pour une tâche simple.

— Inconvénient : les erreurs de compréhension persistent dans ce type de structure. Si D n'a pas compris, personne ne lui fera comprendre puisque les seuls échanges se font avec le leader A.

▲ Le cercle

— Dans un réseau de communication circulaire, les échanges se font de voisin à voisin. Il n'y a pas de relation transversale.

— Intérêt de la structure : les erreurs d'interprétation sont corrigées par les échanges entre voisins. Il n'y a pas d'isolé dans cette structure.

— Inconvénient : les messages émis risquent d'être déformés en tournant. De toute façon on note une perte d'information dans ce type de réseau de communication.

▲ Le Y

— Il s'agit d'un type de réseau centralisé autour d'un leader placé à l'intersection des différents sous-groupes. On la rencontre lorsque le groupe éclate en sous groupes et que seul l'animateur fait le lien entre les différents sous groupes.

— Intérêt de la structure : très efficace pour la réalisation d'une tâche complexe fractionnée en unités plus simples.

— Inconvénient : elle est peu efficace pour un travail de réflexion ou de créativité. Le leader risque de s'opposer aux suggestions.

LES RÉSEAUX DE COMMUNICATION

L'étoile

Réseaux centralisés.

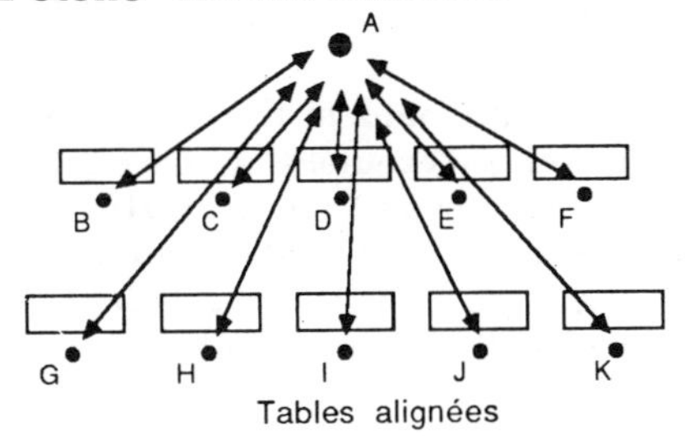

Tables alignées

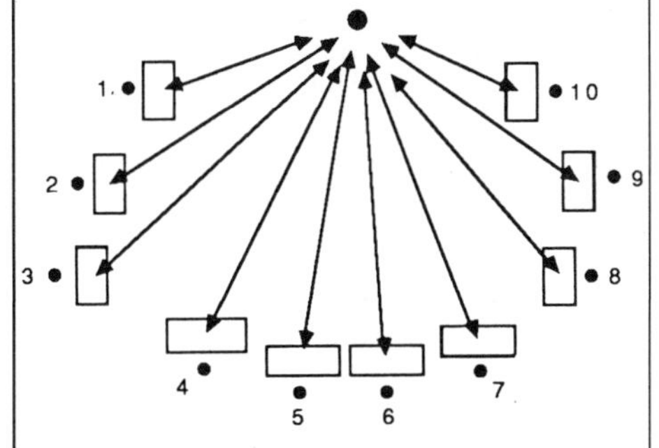

Tables en rond

Le cercle

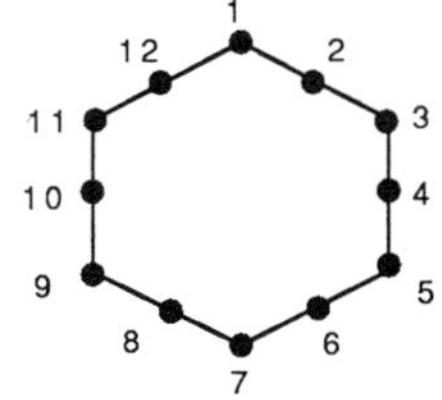

Pas de communication transversale : 1 ne communique qu'avec 2 et 12

Le Y

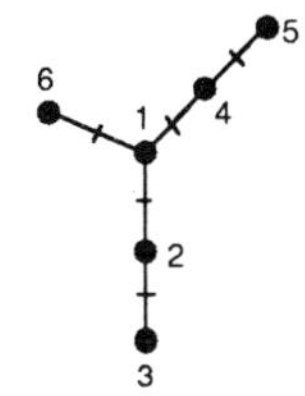

1 communique avec 2, 4 et 6
5 communique avec 4 seulement

« All channel »

Tout le monde communique avec tout le monde. Inconvénient : la prise de décision prend un temps très long de discussion avant d'être effective.

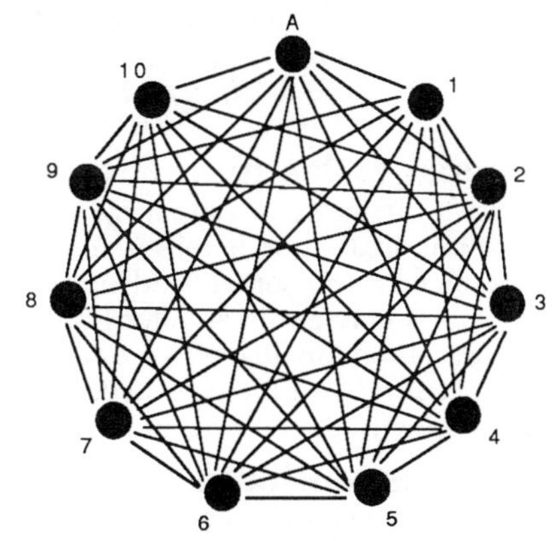

Tout le monde communique avec tout le monde

ENTRAÎNEZ-VOUS

Observez ce réseau de communication et repérez :
— les leaders
— les isolés
— les sous-groupes.

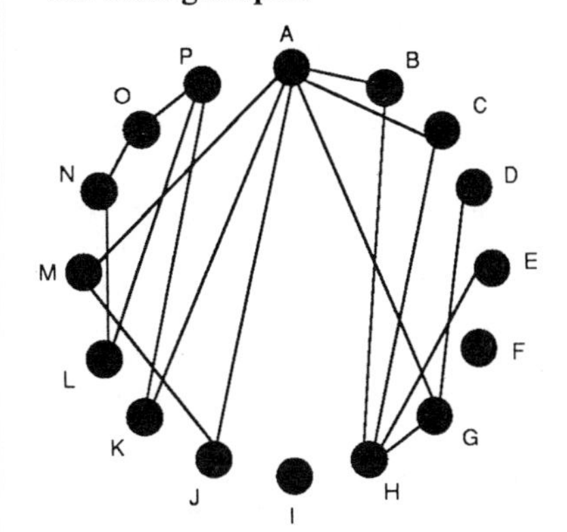

En réunion : comment se faire écouter

Les membres d'une réunion de travail font alterner les moments de prise de parole avec les moments d'écoute. Il arrive souvent qu'ils passent plus de temps à écouter qu'à parler. L'efficacité de la réunion dépend autant de la qualité des interventions que de la capacité d'attention et d'écoute. Pour favoriser cette attitude un certain nombre de dispositions sont à envisager.

▲ Aménager les moments d'écoute et leur durée

— L'organisation de la rencontre
Il est important que le temps soit établi d'un commun accord avec les partenaires concernés. Il sert de cadre, de règle de déroulement des réunions. Il est un point de repère pour rappeler les rencontres ultérieures. Il y a deux types d'excès à éviter : le « trop de temps » qui lasse, fatigue, ennuie et le « trop peu de temps » qui mécontente. Le temps accordé à la rencontre induit un rythme de parole, des moments de silence, un climat détendu, une sécurité partagée.

▲ Prêter attention à l'accueil

— L'intention est de créer la confiance et de faciliter l'expression de chacun. L'accueil est non seulement un moment mais aussi une attitude qui s'exprime dans la manière même de rentrer en contact. Simple et confiant, il commence par des informations.
— Catalogue d'erreurs à éviter :
Dire à la personne qu'on l'avait oubliée. Remettre à plus tard l'entretien. Commencer par téléphoner. Dire à la personne qu'elle n'est pas attendue. Annoncer que l'entretien est limité par un autre rendez-vous.

▲ Se préparer psychologiquement à écouter

— En cas de désaccord avec celui qui s'exprime, certains participants manifestent plus l'envie de répliquer dès les premières phrases que celle d'écouter l'ensemble de l'argumentation. Il leur arrive de couper la parole et ceci en toute bonne foi : ils sont tellement certains d'avoir raison !
— Il faut se préparer à écouter dans sa totalité un message qui ne satisfait pas complètement ou même qui est en opposition avec ses valeurs, ses principes, ses croyances. Cet effort s'appelle l'empathie : acte par lequel un sujet sort de lui-même pour comprendre quelqu'un d'autre en gardant son sang-froid et la possibilité d'être objectif.

▲ Accepter et exploiter les silences

Aspect physique	Le silence permet de reprendre son souffle, sa respiration.
Effets sur l'auditoire	C'est un moment d'attente qui crée un certain suspense. Le silence recentre l'attention d'un auditoire dispersé. C'est un moment de réflexion collective après plusieurs interventions.
Intentions de l'orateur	C'est une insistance muette sur un mot, une expression. Le silence ponctue le discours oral : l'interrogation, l'exclamation, la suspension.

LA DISPOSITION DES LIEUX

La disposition des tables et des chaises dans une salle de réunion est importante. Elle détermine les comportements des participants. Elle favorise ou au contraire empêche une bonne écoute et une participation active.

La disposition des lieux est adaptée aux différents types de réunions : cela peut aller de l'entretien en tête à tête à la conférence.

La disposition des lieux obéit à une intention : veut-on encourager les échanges des participants ou préfère-t-on insister sur l'apport de connaissances par un seul individu ?

Voici quelques exemples de dispositions

A deux

Il n'y a pas de table entre les deux personnes en présence. L'écoute est centrée sur elles.	
Il y a une table ou un bureau entre les deux personnes. L'écoute est davantage centrée sur les propos. Les rélations hiérarchiques peuvent être mises en évidence : qui est assis derrière le bureau ? A quelle distance du bureau est assis le vis-à-vis ?	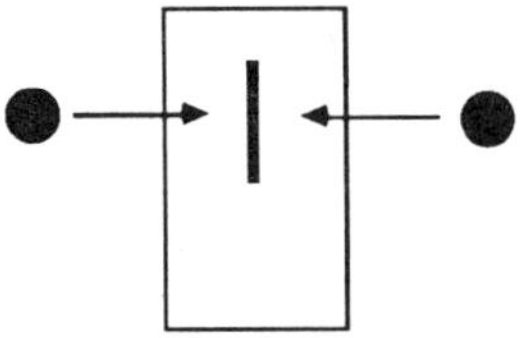

En groupe

L'absence de table favorise l'écoute des personnes. Cette disposition permet la recherche de l'écoute maximum.	
Il y a une table. L'écoute est centrée sur les propos. Cependant la disposition n'exclut pas les échanges entre interlocuteurs.	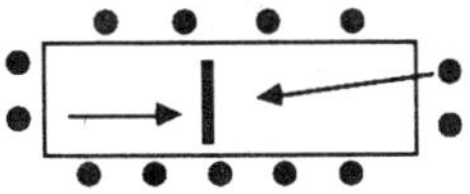
Il s'agit d'une disposition pour un cours magistral. Quelques échanges entre les auditeurs sont encore possibles. Mais la personne valorisée est celle qui se trouve sur l'estrade.	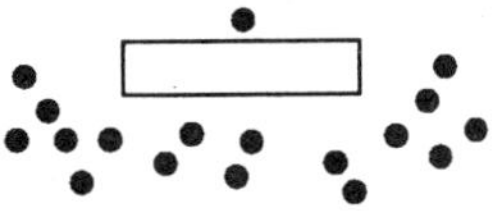
Voici une autre disposition pour un cours magistral. Les auditeurs ont une table : l'écoute est centrée sur le contenu des propos. Les seuls échanges possibles se passent entre le maître et les élèves. La relation hiérarchique est ici très présente.	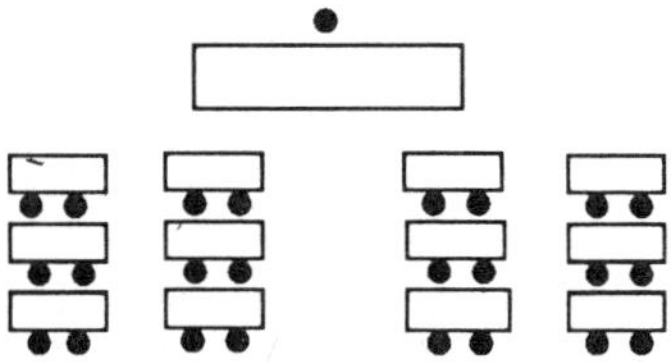

Les problèmes de groupe

Tout groupe contient un potentiel d'idées et de dynamisme. Pourtant dans la pensée de certains responsables subsiste parfois sans qu'elle s'exprime clairement de la méfiance à l'égard du groupe et de son travail.

▲ Les a priori à propos du groupe

— Le groupe affaiblirait l'imagination personnelle qui seraient banalisée par des prises de position « moyennes » et donc médiocres.

— Le groupe réduirait le sens des responsabilités : tout le monde est responsable donc personne ne l'est véritablement.

— Le groupe réduirait le sens des problèmes : réglés en quelques minutes par une personne, ils sont développés inutilement dans des discussions de groupe.

▲ Les réactions négatives face à un groupe.

— La peur du groupe.

Celui qui conduit la réunion se sent responsable du fonctionnement du groupe. Il accentue sa crainte d'être jugé, évalué. En réaction, pour s'affirmer le responsable fait sentir plus fortement la supériorité de son statut social. Il ne fait aucune distinction entre la conduite de réunion et le style de commandement.

— La lutte contre le groupe.

Le groupe est considéré comme un ennemi, un « empêcheur de tourner en rond ». Toutes sortes de procédés sont utilisés pour le manœuvrer : laisser pourrir le problème — jouer la montre — noyauter l'assemblée.

— Le manque d'écoute.

Celui qui conduit la réunion provoque les ténors « de service » qui se lancent dans quelques joutes oratoires dont tout le monde a l'habitude. Le reste du groupe reste en partie passif, il écoute vaguement et ne participe pas.

— La volonté d'imposer une autorité.

Celui qui conduit la réunion fait semblant de consulter les personnes présentes. En réalité il s'agit d'une simple formalité car les conclusions sont déjà prêtes et les décisions seront imposées.

— La méconnaissance des techniques de réunion.

Celui qui conduit la réunion confond les différents types de réunions et n'applique pas les techniques adaptées à chaque cas. Chaque type de réunion a un objectif précis, un nombre de participants et une durée déterminés. Le mode de participation des personnes concernées varie en fonction de l'objectif poursuivi.

SACHEZ LES REPÉRER

Le rôle du leader

— Le leader peut être institutionnel (chef de service, professeur...) ou occasionnel (sa fonction apparaît au cours du travail).

— Le leader occasionnel est accepté en raison de sa compétence dans le travail proposé,
de ses capacités à commander,
de son influence personnelle,
de la composition du groupe.

— Le leader performant veille
à organiser la tâche à accomplir,
à apporter des informations complémentaires,
à stimuler le travail du groupe en prenant une part active au travail,
à maintenir le moral du groupe en s'intéressant aux individus,
à éviter d'imposer ses solutions sans avoir l'appui du groupe.

Les réactions dans un groupe

— Elles sont provoquées par les interventions des membres de ce groupe. Ces réactions se situent à deux niveaux :
au niveau affectif, il concerne les sentiments,
au niveau opérationnel, il concerne le travail à faire.

— Pour obtenir une réaction affective positive, il faut faire preuve de solidarité, se montrer calme, approuver.

— Pour obtenir un travail de chacun efficace, il faut proposer des suggestions, donner son opinion, apporter des informations, demander des informations, susciter les avis, solliciter des conseils.

— Une attitude de désapprobation systématique ou de tension ouvertement manifestée empêche le groupe de travailler.

Quel leader est-il ?

Vous avez l'occasion de participer à un travail de groupe. Observez celui qui conduit la réunion et déterminez son type d'animation en répondant aux questions ci-dessous.

	oui	non
Prend-il des décisions en commun avec le groupe ?		
Laisse-t-il choisir les activités et la méthode à suivre ?		
Coopère-t-il activement ?		
Laisse-t-il les membres du groupe se répartir les tâches et composer des sous-groupes ?		
Tous les échanges passent-ils par lui ?		
Les échanges sont-ils réduits ?		
Le rendement du travail diminue-t-il quand le leader s'absente ?		
Une certaine agressivité s'exprime-t-elle entre les participants ?		
Le groupe est-il passif ?		
Les initiatives se multiplient-elles ?		
Le travail a-t-il été efficace ?		
Les participants sont-ils satisfaits ?		

La table ronde

On organise une table ronde essentiellement pour comparer des idées et pour échanger des informations à propos d'un problème particulier. Cette forme de travail de groupe doit déboucher sur une décision suivie d'action. Une table ronde s'organise en trois temps : la préparation, le déroulement et le compte rendu.

▲ Préparation

— Les participants : entre six et dix spécialistes du problème abordé et un animateur.
— L'ordre du jour : plan de travail, objectifs de la table ronde et mode de réalisation de ces objectifs, tout est établi clairement et précisément. Cet ordre du jour est envoyé aux participants en même temps que leur convocation.
— Les lieux : vérifier que la salle est disponible pour le jour et l'heure de la table ronde. On s'assure que chaque participant dispose d'une chaise et d'une table suffisamment grande pour disposer ses documents. On vérifie que tout le matériel nécessaire est en état de fonctionnement.

▲ Le déroulement

— L'ouverture de la réunion : durée ; 5 à 10 minutes. L'animateur présente les différents intervenants : nom, spécialité, lieu d'où ils viennent, travaux les plus récents,...
— La définition : durée : au plus cinq minutes. L'animateur précise le sujet du débat et l'objectif final de la table ronde.
— L'exposé de la méthode de travail : durée : 5 à 10 minutes. Les participants et l'animateur conviennent du mode de fonctionnement qui leur semble le plus adapté à la résolution du problème. Il est impératif que la méthode de travail soit définie avant le débat proprement dit afin qu'on ne puisse la remettre en cause en cours de travail.
— Le débat : durée : 2 heures au plus. L'animateur ouvre le débat en demandant dans un premier tour de table à chacun de se situer par rapport au problème. Puis il distribue la parole aux différents intervenants. Chacun développe son point de vue sur la question. Les autres participants peuvent ensuite poser des questions pour approfondir le sujet.
— La conclusion : durée : 5 minutes. L'animateur fait une synthèse des opinions qui se sont manifestées.
— Le compte-rendu : une table ronde se solde par un résultat concret. Une synthèse de ce qui s'y est dit est rédigée par l'animateur ou un secrétaire de séance. Elle est remise à chacun des participants.

▲ Le rôle de l'animateur

— Fixer les objectifs : il veille à ce que l'objectif porte les trois critères : problème à résoudre, spécialistes convoqués, action à entreprendre.
— Proposer une procédure : il propose une méthode de travail qui peut être amendée par les intervenants.
— Favoriser la circulation de l'information.

POINTS DE REPÈRE

Comment faire une synthèse

— Rassembler ce qu'il y a de commun dans les idées présentées, dans les solutions proposées.

— Faire ressortir les divergences : on met en évidence les opinions inconciliables, pour faire apparaître les oppositions entre participants.

— Exprimer les différences, c'est-à-dire les propositions qui n'apparaissent ni divergentes, ni communes. On débat alors pour les faire rejoindre l'un ou l'autre camp.

Les documents de travail pour se préparer à une table ronde

— Le dossier d'informations

Ce dossier peut être utilisé avant la réunion. Il peut être joint à la convocation pour faciliter la préparation.
Au cours de la table ronde, il aide le travail du groupe.
Après la tenue de la table ronde, il sert de synthèse du travail du groupe.

— La fiche de travail

C'est un document qui synthétise sur une fiche les informations dont on dispose sur un problème.
Elle facilite la préparation de la réunion par sa concision et sa clarté.
Son contenu correspond aux axes de recherche du groupe.

— La notice de travail

Elle permet de trouver une documentation sur un point précis.
Son contenu indique les références des documents existant sur la question : titre, auteur, éditeur, année de parution, lieux où se les procurer.
On porte aussi à la connaissance du lecteur le degré d'intérêt, de difficulté.

ENTRAÎNEZ-VOUS

Vous organisez une table ronde sur les dangers sociaux du tabac. Quels documents joindriez-vous à la convocation ?

La discussion en panel

Pour dépasser les effets de blocage dus à un grand groupe de travail, on subdivise celui-ci en plus petites unités, des panels. Chaque groupe étudie le thème prévu et désigne son rapporteur. Dans un second temps les rapporteurs se réunissent sous le regard de sous-groupes qui peuvent intervenir ou poser des questions par écrit. Le déroulement de la discussion est réglé par un médiateur.

▲ La préparation de la réunion

— Le médiateur adresse à chacun des participants une convocation indiquant lieu, jour, heure, durée et objet de la réunion.
Il envoie un dossier documentaire sur le sujet à l'ordre du jour.
Il s'assure de la préparation matérielle de la réunion.

▲ Le déroulement de la réunion

— L'ouverture de la réunion : durée : 10 minutes. Le médiateur expose le problème à résoudre, le thème à étudier. Il explique aux participants le fonctionnement d'un travail en panel.

— L'éclatement en panels : durée : 5 minutes. Le grand groupe explose en plusieurs sous-groupes de six à dix personnes qui s'associent par affinité ou par compétence. Dans chaque panel un rapporteur est choisi pour rendre compte du travail effectué.

— La discussion dans le panel : durée : 15 à 30 minutes. Le rapporteur devient de fait le secrétaire animateur du groupe. Il note les idées émises et les informations apportées par les membres du panel à propos du problème posé.
Le rapporteur peut intervenir dans la discussion.
Les membres du panel procèdent à la rédaction de la synthèse qui sera soutenue par le rapporteur devant les autres rapporteurs.

— Le débat des rapporteurs : durée : 30 minutes à 1 heure. A tour de rôle les rapporteurs présentent leur synthèse de travail. Le médiateur lance le débat entre les rapporteurs en posant un problème.
Les rapporteurs participent au débat en présentant le point de vue de leur panel respectif.
Les membres spectateurs peuvent poser des questions en faisant passer des messages écrits au rapporteur de leur panel.
Le rapporteur est tenu de poser les questions, de formuler les objections qui lui arrivent sous la forme de petits papiers.

— La conclusion de la discussion : le médiateur établit la synthèse de la discussion. Il récapitule les décisions qui ont été prises. Il clôt la réunion.

▲ Le compte rendu

— Il est rédigé par le médiateur qui a pris des notes pendant le débat des rapporteurs.
Le compte rendu est transmis à chacun des participants.
Il établit les points d'accord et les désaccords.

POINTS DE REPÈRE

L'organisation de la salle

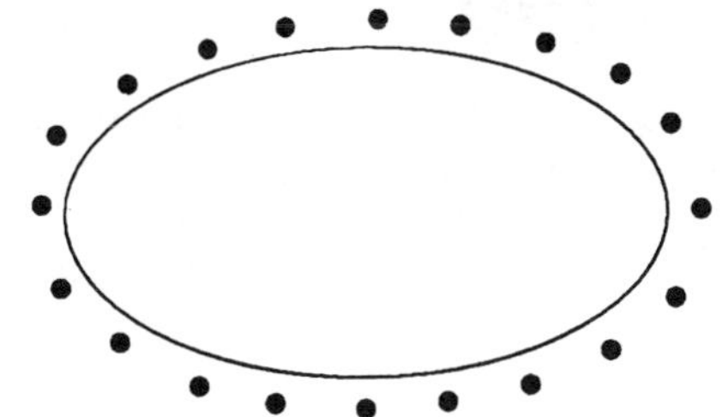

L'ouverture

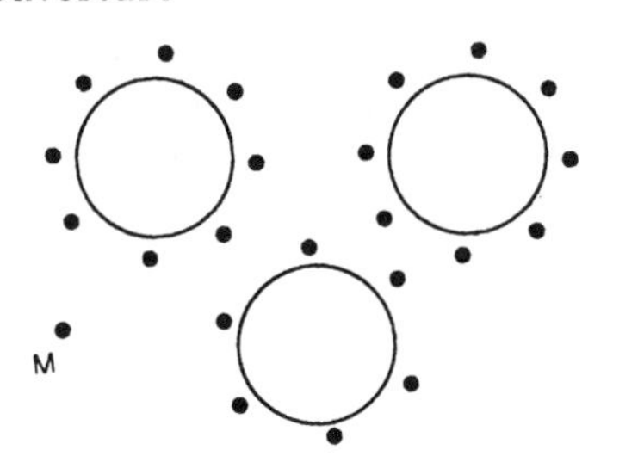

Les panels

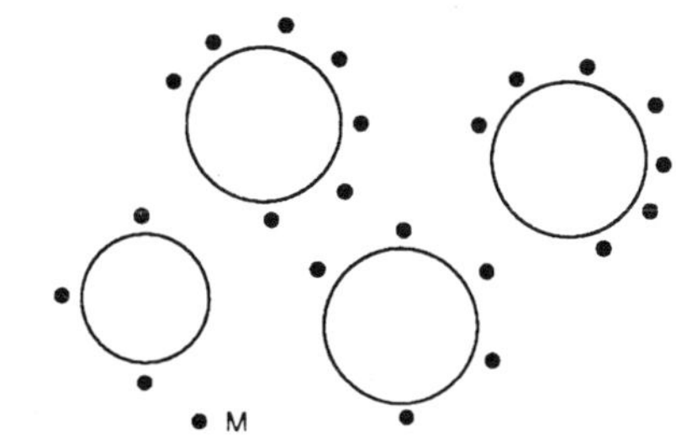

Le débat des rapporteurs

Interrompre un bavard

1. Marquer son accord, acquiescer à ce qu'il dit : « Ce que vous dites est très important », « C'est juste ».
2. Se tourner vers les autres pour ne plus le regarder.
3. Enchaîner en s'adressant aux autres membres du groupe pour reprendre la conversation ou pour donner la parole à quelqu'un :
« ... et justement, monsieur M., vous avez sans doute à ce sujet... »

Le débat des rapporteurs : quelle stratégie adopter ?

— La stratégie de la compétition.

L'issue de la stratégie de compétition est : un perdant, un gagnant.
C'est la satisfaction de ses seuls objectifs qui importe.
Nécessité de taire ses objectifs. Elle réclame méfiance et dissimulation de l'information.
La tactique privilégiée : la surprise.
L'argumentation est fondée sur une interprétation subjective des faits.
Un climat tendu s'instaure. Il profite au plus fort.

— La stratégie de la collaboration.

L'issue de la stratégie de la collaboration est : trouver une solution où tout le monde est gagnant.
C'est la satisfaction des besoins communs qui importe.
Nécessité de la confiance, de la franchise, de l'échange des informations.
La tactique privilégiée : la recherche du consensus.
L'argumentation fait place à la recherche d'une solution acceptable par les parties.
Un climat d'égalité est indispensable.

ENTRAÎNEZ-VOUS

Vous êtes médiateur d'une négociation sur la réduction du temps de travail dans votre entreprise.
Quels documents allez-vous joindre à la convocation que vous allez adresser aux participants ?
Qui convoqueriez-vous pour participer à cette réunion ?

Animer un groupe : le brainstorming

La technique du brainstorming (traduction littérale de l'Anglais : « crâne en tempête ») résoud un problème particulier, trouve des solutions neuves, des idées originales sur un point précis. 150 à 200 idées dont on ne retient que 10 à 15 % peuvent être produites à l'heure.

▲ Qu'est-ce qu'un brainstorming ?

— Le principe est simple. On rassemble 8 à 10 personnes, des spécialistes et des non spécialistes dans un lieu sympathique et isolé des perturbations extérieures. Les personnes prennent place autour d'une table sur laquelle figure le nom de chacun. Elles devront, en un temps limité fournir sur un sujet donné le plus grand nombre de suggestions possibles.

▲ Le déroulement de la séance

— L'ouverture de la réunion : Durée : 2 mn
L'animateur accueille les personnes invitées.

— L'exposé de la méthode de travail : Durée : 5 à 10 mn
Les participants auront à observer les règles suivantes :
Donner libre cours à l'imagination sans auto-censure.
Viser la quantité : produire le maximum d'idées en un minimum de temps.
Ecouter les idées de chacun.
Procéder par associations de mots, de sons, d'idées.
Eviter toute critique, toute remarque.

— L'exposé du thème : Durée : 10 à 15 mn
L'animateur présente un exposé construit et clair sur le problème. L'exposé doit motiver les participants qui se sentent sollicités de façon urgente (« Nous avons absolument besoin de vos idées... »). L'exposé s'achève par un bref résumé et une question clairement posée.

— La phase de production des idées : Durée : une heure
Cette heure est scindée en plusieurs moments. Lorsque l'animateur constate une baisse de créativité, il présente une synthèse partielle et relance les participants à l'assaut d'idées neuves. L'animateur intervient environ à cinq reprises en une heure.

— L'exploitation des résultats :
Elle s'effectue à un autre moment et ce sont d'autres personnes qui s'en chargent. L'animateur prend connaissance de la totalité des propositions et les classe par catégorie. Il fait dactylographier cette liste organisée et numérotée en quatre exemplaires. Ceux-ci sont destinés aux membres du jury de sélection.
Le jury de sélection conduit par l'animateur est composé de trois ou quatre personnes dont aucune n'a participé au brainstorming. Ce sont des personnes directement intéressées par le problème. Quatre critères guident leur choix : l'originalité, le réalisme, l'efficacité et la facilité d'application.

POINTS DE REPÈRE

La salle

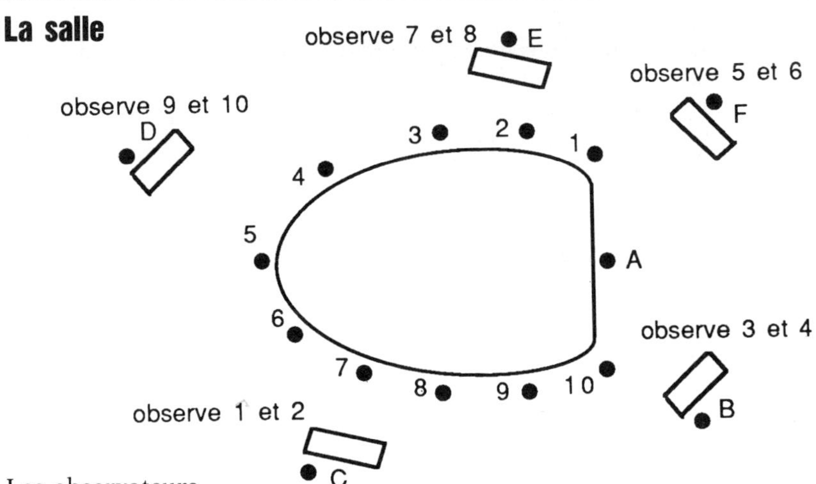

Les observateurs.
Il y a un observateur pour deux participants. Ils se placent à distance face aux deux personnes « à suivre ». Ils notent toutes les idées exprimées sans jamais se manifester.

Les effets du brainstorming sur les participants

— Cette phase de production intellectuelle intense étonne et plonge le groupe surpris de ses performances dans un état d'excitation bientôt suivi d'un moment de fatigue.

— Ce type de travail modifie les relations entre les membres d'un groupe. Chacun s'aperçoit que les autres ont des idées, qu'il existe une certaine solidarité dans la créativité.

— Le brainstorming développe l'esprit d'initiative c'est une forme de réaction contre la routine qui peu à peu s'installe dans un groupe constitué.

ENTRAÎNEZ-VOUS

Voici quelques sujets de brainstorming.

Choisissez-en un ou deux.

Appliquez la méthode en respectant les règles.

- **Inventer une nouvelle boisson aux fruits.**
- **Régler le problème de la circulation au centre des villes.**
- **Trouver un nom pour une nouvelle marque de poudre à laver le linge.**
- **Imaginer le titre d'une nouvelle revue de mode masculine ou de mode enfantine.**
- **Trouver le nom d'une nouvelle voiture style 2 CH.**
- **Organiser une campagne anti-tabac efficace dans les collèges et les lycées.**

Le Phillips 6/6

Le Phillips 6/6 est une technique de travail utilisable dans un groupe assez important de 30 à 100 personnes. Cette technique porte le nom de son auteur et de la manière dont on procède : des petits groupes de 6 personnes réfléchissent pendant 6 minutes sur des points successifs.

▲ Les objectifs sont de trois ordres

— Le Phillips 6/6 permet de prendre des décisions en un temps record.
Il oblige chacun à s'exprimer en groupe.
Il augmente l'efficacité du groupe : chaque participant se doit de trouver rapidement des idées.

▲ Le déroulement de la séance

— L'ouverture de la réunion, durée : 2 mn
L'animateur accueille les participants.

— L'exposé du thème, durée : 5 à 10 mn
L'animateur expose le problème à résoudre, le thème à approfondir, le cas à analyser.

— La méthode de travail :
Des groupes de six personnes se forment. Ils sont soit tirés au sort, soit laissés au libre choix, soit imposés.
Les groupes ne doivent pas se gêner. Chaque groupe désigne un animateur et un rapporteur.

— Les phases de production :

• La première phase, durée : 6 mn.
Les participants réfléchissent sur le plan de travail à adopter.
Le premier compte-rendu : lorsque les six minutes sont écoulées, l'animateur arrête le travail. Les rapporteurs énoncent à tour de rôle devant les autres participants silencieux le projet de chaque sous-groupe.
La première synthèse : l'animateur fait la synthèse et inscrit au tableau les différents points dont l'ensemble forme le plan d'analyse.

• La deuxième phase, durée : 6 mn.
Les sous-groupes se réunissent de nouveau pour reprendre la discussion à partir de cette base. C'est le point 1 noté au tableau qui fait l'objet de la réflexion collective.
L'animateur arrête le travail au bout de ces 6 mn.
Le deuxième compte-rendu : le compte-rendu est présenté par un membre de chaque groupe. Il expose les conclusions auxquelles ses cinq collègues et lui-même sont parvenus.
La deuxième synthèse : l'animateur fait la synthèse et lance le travail sur le point suivant.
Ainsi de suite jusqu'à ce que l'ensemble des points soit discuté.

— Le compte-rendu :
Le cheminement de la réflexion est repris dans son ensemble et une décision qui convient à tous est prise.

POINTS DE REPÈRE

Les avantages de cette technique

— L'organisation stricte et minutée empêche toute dérive hors sujet, toute perte de temps. Elle stimule plutôt qu'elle ne contraint. Dans toute création, c'est souvent lorsque les contraintes sont les plus pesantes que le résultat est le meilleur.

— La réflexion s'approfondit progressivement et s'achemine vers une décision prise à l'unanimité, ce qui dans un groupe de trente personnes relève de l'exploit.

— Cette technique représente une étape de faible difficulté pour ceux qui craignent d'intervenir à l'oral. Ils sont obligés de participer mais, dans un groupe de six personnes la tension est moins forte que devant un public plus vaste.

Quelques conseils

— Le thème à creuser, le problème à traiter, la solution à trouver doivent être décomposés en points limités pour que chacun d'eux puisse faire l'objet d'une analyse en quelques minutes.

— L'animateur doit faire une synthèse objective de tout ce qu'ont trouvé les groupes. C'est à dire qu'il ne doit pas omettre certaines propositions ou en valoriser d'autres dans la présentation de la synthèse.

— L'animateur est un organisateur et non un participant. Il ne doit donner aucune suggestion ni aucun avis personnel sur le travail des groupes. Il respecte la plus grande neutralité.

ENTRAÎNEZ-VOUS

Voici une liste de sujets pouvant faire l'objet d'un Phillips 6/6.

• Vous faites un stage dans une entreprise de fabrication textile. On vous demande de rédiger un mémoire de 50 pages sur un thème qui a trait à l'entreprise mais qui est laissé à votre libre choix.

Le Phillips 6/6 peut explorer les différents domaines : historique de l'entreprise - évolution des techniques - comparaison avec d'autres entreprises, d'autres secteurs... Lorsque le thème est choisi, on peut travailler le plan du mémoire.

• Vous faites partie d'une association. Vous voulez mettre au point ensemble un journal d'information sur les activités de l'association. Il faut trouver les idées pour régler les problèmes suivants : celui du titre - de la répartition et du contenu des rubriques - de la mise en page - de la fréquence de parution - de l'impression - de la distribution - des responsabilités de chacun dans la réalisation et la gestion.

• Le règlement intérieur de l'entreprise va être modifié au cours d'une réunion à laquelle participera le délégué du personnel. Auparavant ce dernier invite les salariés à se prononcer sur les points essentiels à changer. Il pourra ainsi avancer des propositions qui auront recueilli un avis favorable unanimement.

• Un groupement de consommateurs décide de mener localement une enquête sur les variations de prix que subissent les fruits et légumes. Il faut trouver la meilleure tactique d'intervention.

L'étude de cas

Le cas est la description d'une situation concrète de la vie courante qui pose un problème humain et réclame une résolution : un diagnostic ou une décision. Le problème d'ordre psychologique ou social est toujours une réalité vécue. Pour être traité, il requiert une information complète mise à la disposition des personnes chargées de résoudre la difficulté. Après examen et discussion, elles optent pour une solution acceptée à l'unanimité.

▲ La situation doit comporter les données suivantes :

— Les faits et les événements qui se sont déroulés.
— Les sentiments, les habitudes, les comportements, les objectifs des personnes concernées par la situation;
— La description du milieu de vie dans lequel elles évoluent.

▲ Composition du groupe

Le groupe comporte un animateur et de 6 à 10 ou 12 personnes d'âge, de sexe, de caractère, de profession, de statut différents. Un groupe trop homogène souffre de l'absence de points de vue extérieurs.

▲ Déroulement de l'étude de cas

— Phase 1 : 5 à 20 mn :
Les participants prennent connaissance du cas. Aucun élément d'information ne doit être dissimulé durant ce temps de lecture.

— Phase 2 : 30 à 60 mn :
Les premières impressions, les premières opinions surgissent. Chacun donne son avis, son interprétation. De multiples points de vue tous aussi valables les uns que les autres sont exprimés. Ils révèlent davantage de choses sur les membres du groupe que sur la situation à étudier.

— Phase 3 : 1 h à 1 h 30 :
Pour sortir de l'embarras, un retour aux faits s'impose.
Cette phase d'analyse dégage :
- les faits-clés de la situation, ce ne sont pas forcément les plus évidents ni les plus dramatiques mais les faits significatifs pour les personnes impliquées;
- les relations nouées entre les personnages;
- ce que les faits signifient pour chacun d'eux.
Après avoir recherché le sens des faits et des comportements et analysé les aspects du problème, toutes les solutions sont envisagées, critiquées et comparées. L'une d'elles sera retenue : celle qui obtient l'assentiment de tous.

— Phase 4 : 30 à 40 mn :
Le compte-rendu est établi. Il contient le principe retenu pour résoudre le problème. Ce principe est formulé de façon à pouvoir servir à nouveau dans le cas d'une situation similaire.

DISPOSITION DES TABLES

La disposition en carré

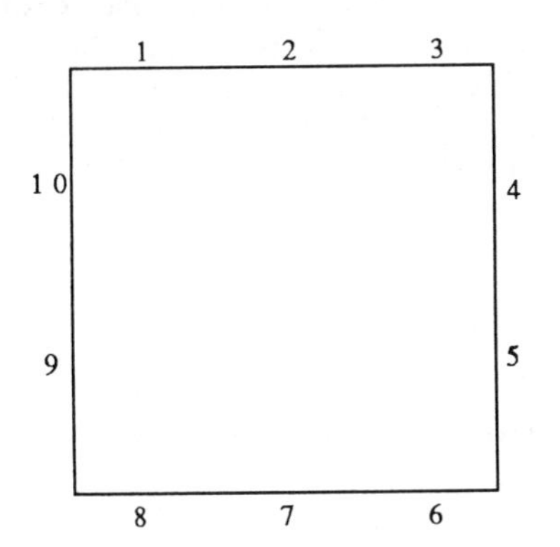

Elle est apparemment satisfaisante. En réalité, 2 empêche les échanges entre 1 et 3 et 7 fait écran entre 8 et 6.

La disposition en T

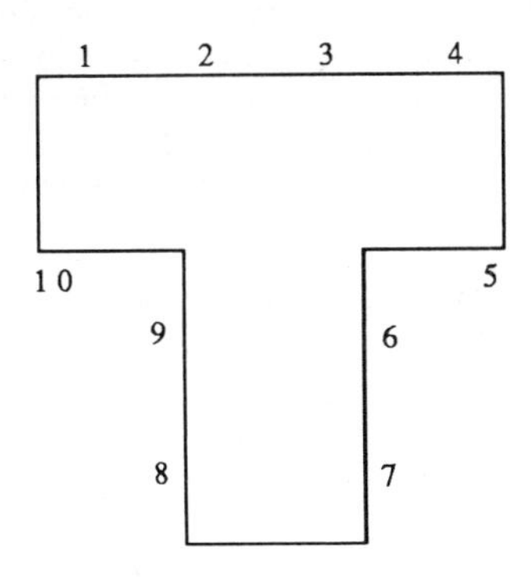

Dans ce cas de figure 10 et 5 sont un peu isolés. Ils ne peuvent pas voir 8 et 7.

La disposition en ovale

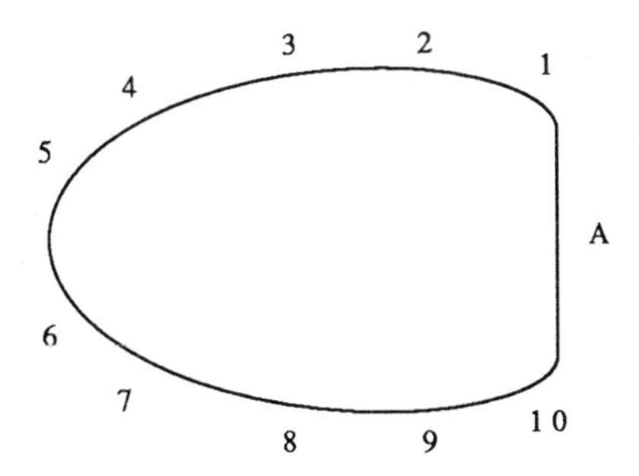

C'est la mieux adaptée à une réunion d'étude de cas. L'animateur a une place facile à repérer. Tous les participants peuvent se parler.

La disposition en U

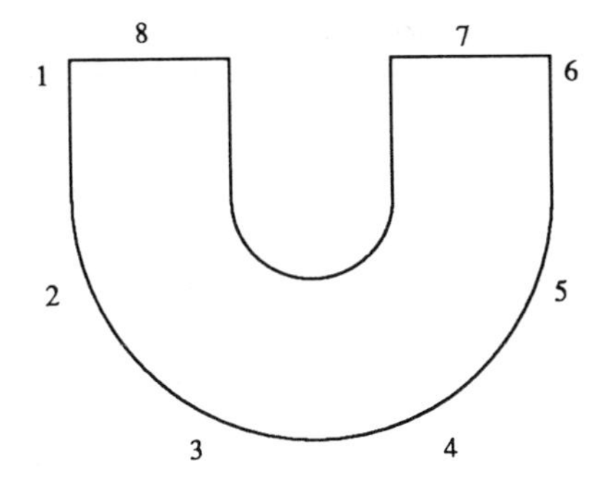

La place de l'animateur ne peut pas être centrale.

La réunion d'information ascendante

Dans ce type de réunion, l'information circule de la base vers le sommet c'est-à-dire de ceux qui vivent une expérience collective vers ceux qui doivent prendre une décision rationnelle et non pas intuitive. C'est une consultation de groupe, elle permet de recueillir des informations, des impressions.

▲ L'objectif de la réunion

Il s'agit d'obtenir par un questionnement des déclarations sincères, authentiques sur ce qui est vécu et éprouvé et non des renseignements de type administratif. Ces informations peuvent servir à connaître les opinions, les besoins, les comportements d'un groupe représentatif, à résoudre un conflit, par exemple la réorganisation d'un service, à recueillir des témoignages sur certaines conditions de vie.

▲ La préparation de la réunion : l'enquête

L'animateur a pris contact individuellement avec chaque personne. Il a passé du temps avec les participants au cours de leurs activités pour découvrir leur style de vie, leur langage, leurs soucis, leurs habitudes, leurs références. Lorsque ces premiers contacts ont eu lieu, il faut passer à la phase de réunion pour obtenir des propos riches d'enseignement.

▲ Le déroulement de la réunion

— L'exposé du thème :
L'animateur expose le thème de l'interview de manière rassurante. Lui même manifeste son intérêt pour le sujet.

— La méthode de travail :
L'animateur aide les personnes du groupe à participer, à s'exprimer.
Il observe quant à lui la plus parfaite neutralité.
Il utilise la technique de la reformulation pour élucider ce qu'il y a sous les mots.
Le groupe cherche à comprendre et à se comprendre.

— Le rôle de l'animateur :
Il définit les mots et les concepts qui ne recouvrent pas exactement le même sens pour chacun.
Il considère les personnes comme des témoins de ce qu'ils vivent et non comme des responsables.

— La conclusion :
L'animateur fait le point de temps en temps puis présente la synthèse finale qui doit recevoir l'assentiment de tous.

▲ Les effets psychologiques sur le groupe

Lorsqu'il s'agit d'un groupe constitué, les effets positifs sont nombreux :
— une amélioration de la communication,
— une diminution des conflits internes,
— une confiance partagée,
— une meilleure compréhension de la situation et des autres,
— une plus grande lucidité.

POINTS DE REPÈRE

La préparation matérielle

— Nombre de personnes à contacter : 10 exceptionnellement 30.

— Composition : un groupe constitué engagé dans une expérience collective ou un échantillon représentatif d'un grand groupe.

Il ne faut pas d'observateurs ni de supérieurs hiérarchiques. Ceci pourrait paralyser la spontanéité du groupe et provoquer des réponses banales ou stéréotypées.

— Durée de la réunion : 2 à 3 heures.

— Lieu à prévoir : une salle agréable, isolée des bruits et des perturbations.

Les erreurs que l'animateur doit éviter

— Au cours de la préparation :

- Fixer la date un vendredi soir car peu de gens sont disponibles même psychologiquement.
- Réunir trop de participants.
- Mélanger des personnes qui ont un statut social différent.
- Ne pas veiller à la bonne disposition des tables.

— Au cours de la présentation du thème

- Dire qu'on a peu de temps, qu'on est pressé.
- Menacer les participants, les accuser, les rendre responsables des problèmes.

— Pendant le déroulement de la réunion

- Ne pas supporter les silences.
- Agresser verbalement un participant.
- Donner son avis.
- Se laisser interviewer par les membres du groupe au lieu de les interviewer.

Un témoignage

Voici une utilisation possible de la réunion d'information ascendante.

Il s'agit de la démarche suivie par la troupe d'Ariane Mnouchkine, le Théâtre du Soleil, pour mettre au point sa pièce : l'Age d'Or en 1975. La préparation s'effectue à travers plusieurs réunions d'information ascendante.

« Nous convînmes unanimement qu'il était nécessaire de poursuivre ces réunions : elles nous permettaient de construire notre spectacle.

Nous rencontrâmes successivement des travailleurs de l'usine Kodak, de Thomson, des élèves, des travailleurs immigrés, des retraités (fort modestes !) de Champigny, des appelés du contingent et des professeurs.

Toutes ces rencontres, si elles n'ont pas toujours donné lieu à des scènes du spectacle, ont eu une incidence bénéfique sur notre travail. Très souvent, le phénomène décrit aux « Mages » s'est reproduit. Ce fut pour moi extrêmement agréable, de l'autre côté du masque (si j'ose m'exprimer ainsi), de voir mes camarades improviser et les spectateurs devenant auteurs, jouir des pièges qu'ils proposaient aux personnages et dans lesquels ceux-ci acceptaient volontiers de tomber. »

Jean-Claude Bourbault.
« L'Age d'Or » paru dans la collection Théâtre ouvert, Éditions stock.

La réunion d'information descendante

Dans ce type de réunion, l'information circule du sommet vers la base c'est-à-dire des responsables vers les subordonnés. Les participants convoqués ou invités font partie du même groupe socio-professionnel que l'orateur. La réunion remplace la note de service. Elle assure une meilleure transmission et une plus sûre compréhension de l'information.

	L'exposé simple	**L'exposé + une décision**	**L'exposé + une action**
Les caractéristiques	Celui qui détient l'information la communique à l'auditoire qui écoute et prend éventuellement des notes.	Celui qui détient l'information la communique à l'auditoire qui devra en tenir compte par la suite.	Celui qui détient l'information la communique à l'auditoire qui aura une mission à accomplir.
Les objectifs	Fournir à l'auditoire des informations intéressantes pour lui. C'est un objectif de connaissance.	Fournir à l'auditoire les moyens de comprendre les décisions qu'il aura à appliquer.	L'information est suivie d'une action à engager. Il faut clarifier le but et les tâches de chacun, préciser l'horaire, lister les démarches et les contacts à prendre.
Les aides visuelles	Elles ne sont pas obligatoires dans ce cas. Elles servent à maintenir l'intérêt, ou à le relancer.	On peut distribuer des documents : la réunion commence ainsi sur des bases communes. On peut utiliser des schémas, des graphiques.	Les aides visuelles sont très importantes, les cartes, les plans, les maquettes, sont les documents sur lesquels s'appuient les explications.
Les qualités de l'exposé	Clarté, intérêt documentaire.	Clarté, rigueur, bon dosage des données chiffrées.	Clarté, rigueur, exhaustivité.
Exemples de situations	• Rapport à une assemblée de sociétaires. • Bilan au Conseil d'Administration.	• Informations sur les mesures nouvelles prises par la direction et entrant en vigueur dans tous les services.	• Le briefing • Un groupe de visiteurs japonais est attendu dans une entreprise. Il faut les accueillir.

POINTS DE REPÈRE

Les caractèristiques de l'auditoire

— Le nombre peut être très variable depuis le petit groupe de 10 jusqu'à la grande assemblée de 1 000 personnes.

— Les personnes formant l'auditoire se connaissent. Pour certaines il s'agit de simples rencontres, pour d'autres d'un travail quotidien. Le groupe constitue une unité sur le plan affectif.

— Les personnes partagent des intérêts communs. Il y a donc une cohésion interne au groupe sur laquelle l'orateur pourra s'appuyer ou au contraire dont il devra se méfier. En effet, si l'assemblée ressent un mécontentement général, la cohésion du groupe fera qu'il se répandra rapidement et se transformera en mouvement de contestation.

— Les attentes du groupe précises et liées au domaine socio-professionnel sont très présentes. Leur frustation risquerait de susciter l'hostilité envers l'orateur.

Quelques conseils pour rendre efficace la phase de feed-back (retour)

— Vouloir que le plus grand nombre de questions soit posé et l'annoncer.

— Avoir une attitude chaleureuse et accueillante.

— Attendre sans manifester d'impatience que les premières questions arrivent.

— Ecouter et reformuler la question :
- pour que son sens ne soit pas déformé ;
- pour que l'auteur de la question soit d'accord avec la reformulation de l'orateur ;
- pour que l'assistance ait entendu la question.

— Ne pas éviter les questions embarrassantes.
S'aider du groupe pour y répondre.

— Ne pas lever la séance si la compréhension de tous n'est pas satisfaisante.

ENTRAÎNEZ-VOUS

Vous avez assisté ou vous allez assister à une réunion d'information. Pour évaluer l'orateur, cochez votre réaction pour chaque rubrique en la notant de 1 à 5 :
1 : très décevant, 2 : décevant, 3 : bon, 4 : remarquable.

	1	2	3	4
La quantité des informations				
La clarté de l'exposé				
Le choix des exemples				
Le choix et l'utilisation des supports visuels (schémas - graphiques...)				
La vitesse d'élocution				
Le volume de la voix				
La volonté d'intéresser l'auditoire				
Le désir de faire participer l'auditoire				
La qualité d'écoute				
La pertinence des réponses apportées aux questions du public				

La réunion de discussion

Il s'agit de permettre un échange d'opinions dans un groupe restreint afin de faire le point sur une question ou de prendre une décision. Ce genre de réunion sert à motiver un groupe. Elle a lieu dans trois circonstances : en commission de travail, comme phase préparatoire à une décision ultérieure, au cours d'une table ronde, il s'agit d'une discussion à thème, et avant un exposé ou un cours, il s'agit d'une discussion préliminaire. La réunion de discussion se déroule en trois temps.

▲ La présentation des participants

L'accueil est un moment important car chacun s'installe dans la situation. Il est donc préférable que celui-ci ne se fasse pas dans la précipitation. Les participants, de leur place, se présentent à tour de rôle. Un court dialogue s'instaure entre l'animateur et chaque personne qui évoque rapidement son intérêt pour le sujet ou l'expérience qu'elle a.

▲ La présentation du sujet par l'animateur

— L'animateur présente le thème de la discussion en 10 à 15 mn. Il en précise les données sans traiter le sujet. Son but est d'ouvrir la discussion et de provoquer le plus grand nombre de réactions, de questions, de points de vue. Il doit donc faire ressortir les aspects problématiques du thème.

— L'animateur organise son bref exposé selon un plan.
Voici deux schémas de présentation :

Schéma 1 : a) la description du problème ou de la situation ; b) les avantages ; c) les inconvénients ; d) que peut-on modifier.

Schéma 2 : a) la description du problème ou de la situation ; b) les causes du problème ; c) les remèdes connus ; d) quelles solutions nouvelles peut-on envisager ?

▲ La conduite de la discussion

— Le lancement. La discussion est lancée. Les idées, les propositions et les contre-propositions émanent des seuls participants car l'animateur n'a pas à influencer le groupe dans sa réflexion. Comme dans un entraînement sportif, il y a une période d'échauffement. Les idées fusent, chacun s'exprime, les opinions s'opposent.

— Le plan de travail. Après cette première étape, l'animateur doit aider à structurer le travail. Il souligne les divergences exprimées, il propose un plan d'examen des propositions qui convient à tous. Le plan est noté sur le tableau.

— La discussion. Elle suit l'ordre strict du plan de travail. L'animateur fait le point chaque fois qu'une nouvelle partie est abordée.

— La synthèse. Lorsque tous les points ont été débattus, l'animateur reprend l'essentiel.

— Le compte-rendu. Il est établi en fin de réunion et envoyé aux participants. On se demande dans quelle mesure les objectifs ont été atteints. Une questionnaire d'évaluation permet de connaître le degré de satisfaction du groupe.

POINTS DE REPÈRE

Les moments difficiles	Les réactions possibles
Un participant se tait.	Sans se décourager et sans montrer d'agacement, renouveler les appels à la participation.
Un participant monopolise la parole.	La première fois : résumer ses propos. La deuxième fois : lui demander d'être bref. La situation se renouvelle : lui couper la parole.
Un participant s'attribue le rôle de l'animateur.	Intervenir en sauvegardant l'égale répartition du temps de parole.
Un participant entraîne le groupe hors sujet.	Inscrire la question ou la remarque sur le tableau; la laisser en réserve, la traiter s'il y a lieu puis la barrer.
Un participant veut saboter manifestement la réunion.	S'entretenir personnellement avec lui lors d'une pause.

Les conditions matérielles

— Le lieu : choisir un endroit calme et confortable.
— Le matériel : installer des tables portant un carton avec le nom de chaque participant.
Prévoir un ou plusieurs tableaux : un tableau où sera noté le plan, un tableau où s'inscrivent les idées émises, un tableau pour tirer les conclusions.
— Le temps à prévoir : 2 h 30 à 3 h.

Les conditions psychologiques

L'efficacité de cette réunion dépend aussi de la manière dont les participants se sentent concernés. Pour les motiver et les préparer :

— Les informer de l'objectif et du thème de la discussion.
— Les contacter suffisamment à l'avance pour qu'ils aient un délai de réflexion.
— Leur envoyer une courte information sur le sujet.
— Leur préciser l'horaire, la date et le lieu de la réunion. Joindre éventuellement un plan.

Les procédés de l'argumentation

— L'appel aux faits, la contradiction par les faits;
— La déduction à partir d'un principe admis par l'adversaire;
— La démolition de l'argument de l'adversaire par la mise en évidence d'une contradiction dans ses propos ou d'une conséquence incongrue;
— Le tri entre l'essentiel et l'accessoire;
— La démonstration par l'absurde;
— La démonstration directe avec conclusion simple et claire;
— L'appel à des éléments favorables reconnues par l'adversaire (déclarations ou accords antérieurs, textes publiés par lui).

La réunion de négociation

S'engager dans une négociation, c'est aller vers le changement. Il s'agit d'accomplir un rapprochement à partir de positions opposées et d'arriver à une position commune, au règlement d'un problème fait en accord. La négociation peut se poursuivre sur une durée assez longue et être ponctuée de plusieurs rencontres.

▲ La préparation s'effectue en trois temps.

— Un conflit oppose deux ou plusieurs partenaires. Pour limiter ou éviter des conséquences fâcheuses, pour améliorer la situation, on offre de négocier.
— La préparation du dossier est une phase capitale et elle requiert un certain nombre d'impératifs :
- recueillir les éléments d'analyse de la situation antérieure;
- connaître les moyens de pression dont on dispose, les points forts, les points faibles;
- connaître les positions et les négociateurs du parti adverse.

— Le responsable choisit ses collaborateurs et parmi eux un spécialiste du domaine concerné et un porte-parole qui inspire confiance. Ces personnes doivent se réunir auparavant pour former une équipe soudée et définir leur stratégie.

▲ La séance de négociation se déroule en six temps.

— Marquer la rupture avec le passé.
Les partenaires sont décidés à rompre avec une situation antérieure dont les caractéristiques sont rappelées. L'intérêt de cette évocation qui peut susciter des sentiments comme le dépit, l'amertume ou la haine est d'évacuer ces éléments de la discussion.
— Localiser le problème.
Les négociateurs définissent le plus clairement possible le problème qui leur est posé et l'objectif à atteindre.
— Analyser les données.
Il s'agit de mettre à jour les enjeux, les points d'accord, les points sur lesquels l'accord sera le moins difficile, les solutions.
— Débattre.
Au cours de la négociation, cette phase occupe souvent une place envahissante. C'est le moment des échanges vifs, des séquences tendues parfois épuisantes. Le jeu tactique tient à la capacité de raisonnement et d'argumentation. Il est important de ne pas laisser passer une allusion, une accusation : il faut tirer au clair, expliciter le non-dit et opposer des faits, des preuves, des arguments.
— Évaluer la situation.
Cette phase s'achève quand les partenaires parviennent à mesurer l'écart qui les sépare. Ils se demandent alors s'ils peuvent réduire l'écart, par quels moyens, dans quelles limites. C'est un moment de flottement durant lequel s'arrachent les décisions dont la principale qualité est d'avoir valeur de compromis.
— Formuler l'accord ou le désaccord.
Cette phase finale est menée de telle façon que les décisions soient déductives et prises en commun. Ces déclarations sont alors consignées par écrit.

POINTS DE REPÈRES

Les « mains vides » et les « mains pleines » : avantages et inconvénients

Avec dossier			
positif	Donne confiance en soi	fait sérieux	rend plus compétent, mémorise des informations
négatif	peut susciter la méfiance	alourdit les développements	fait sec, neutralise l'intuition
Sans dossier			
positif	inspire confiance (à l'autre)	rend souple	oblige à plus de présence
négatif	preuve de légèreté	risque de contradiction (versatilité)	distraction

Cité dans Savoir improviser en toutes circonstances, Georges GRZYBOWSKI, Ed. Retz, 1977.

Portrait du bon négociateur

Quelles sont ces qualités ?
- se connaître pour rester maître de soi et de son expression verbale ;
- savoir écouter ;
- savoir interroger ;
- avoir un esprit de coopération ;
- être capable d'exprimer une volonté de changement ;
- avoir le sens de l'improvisation tactique ;
- faire preuve d'imagination pour sortir de l'impasse ;
- être discipliné pour savoir attendre la phase de débat et argumenter.

ENTRAÎNEZ-VOUS

Monsieur Gibet fabrique du matériel de pointe très performant. Il souhaite développer l'affaire mais le service de distribution manque d'efficacité. Monsieur Balt possède un réseau de revente mais le produit qu'il essaie de promouvoir est dépassé. Depuis une semaine M. Gibet et M. Balt tentent de mettre au point une éventuelle association. Le produit serait fabriqué par M. Gibet et vendu par M. Balt. Le projet prend forme pourtant un point de désaccord surgit.

• La négociation

G : Pour notre part, nous jugeons indispensable le fait que nos clients puissent identifier le produit à l'entreprise de fabrication.

B : Je comprends parfaitement mais il se trouve que sur ce point nous menons une politique claire, tout ce que nous commercialisons reçoit la garantie de notre label.

G : Je remarque quand même dans votre catalogue bon nombre de produits vendus sous licence : mais si votre stratégie consiste à avoir un label unique dans ce cas... Vous comprenez nous cherchons un distributeur, nous ne voulons être ni filiale ni fournisseur.

B : Vous seriez prêt à renoncer à tous les avantages dont nous nous étions entretenus ?

G : Vous savez que nous cherchons à nous donner une bonne image de marque et si nous changeons de nom... non, non je suis navré, c'est impossible.

• Les questions

— Quel avantage tireraient-ils d'une association ?
— Quel point de désaccord les oppose ?
— Pensez-vous que M. G ait réellement l'intention d'abandonner la discussion ? Que cherche-t-il à obtenir ?

Réussir un exposé - la préparation

L'exposé permet d'apporter en un temps court, il n'excède pas 3/4 h, un point de vue ou un ensemble d'informations sur un sujet précis devant un auditoire assez large. Il suscite un débat. La préparation exige au moins 10 à 15 heures de travail. Elle s'effectue en plusieurs étapes.

▲ Analyser la situation

— Définir l'objectif : c'est formuler clairement ce que l'orateur veut transmettre : une explication, une information ou une argumentation.
Cette intention doit rester présente à l'esprit de celui qui prépare l'exposé.
— Connaître les destinataires, c'est-à-dire leur composition, leur âge, leurs centres d'intérêt, leur familiarité avec le sujet, leur niveau culturel.
— Déterminer la durée de l'exposé : elle dépend de l'auditoire et du temps disponible. Il ne dépasse pas 45 mn généralement.

▲ Définir l'idée-maîtresse

— Formuler le message central à faire passer. C'est le fil conducteur. Il se retrouvera dans le titre de l'exposé.
Par exemple, l'orateur veut parler des domaines d'application de l'informatique. L'idée-maîtresse est de montrer que l'informatique est devenue une nécessité pour l'entreprise moderne.
— Commencer la recherche.
Pour la phase d'approche du problème, l'auteur consulte des ouvrages à caractère général sur le sujet pour faire le tour d'horizon de tous les aspects. Il choisit les aspects à traiter en fonction de l'idée-maîtresse et approfondit chaque aspect. Au fur et à mesure de l'élaboration de l'exposé, certaines parties se précisent, se développent, d'autres sont écartées.

▲ Établir le plan

Voir page 107.

▲ Engager la rédaction

— Le texte est d'abord rédigé dans son ensemble comme s'il s'agissait d'un discours puis il est élagué. Il se transforme en une série de messages - titres courts et précis.
— Les graphiques, les schémas, les illustrations sont préparés et numérotés.
— L'auteur rédige complètement les transitions et les rappels.
— Il rédige enfin l'introduction qui définit le but de l'exposé, les limites du sujet, en quoi l'auditoire est concerné et la conclusion qui résume les principaux points, rappelle l'idée-maîtresse, ouvre des perspectives et engage le débat.

▲ Répéter

— Répéter une première fois pour dominer le sujet.
— Répéter une seconde fois pour apprendre les transitions et dominer la manipulation des documents.
— Répéter une troisième fois pour respecter le temps, se sentir à l'aise et maîtriser son trac.

Les notes

Les notes ne sont là que pour rassurer l'orateur car l'exposé ne doit être, en aucun cas, une lecture.

Les notes peuvent être rédigées sur des fiches cartonnées, uniquement au recto. Cela facilite la tâche de celui qui se déplace vers un tableau ou vers un retro-projecteur.

Sur les fiches, il est pratique de laisser une marge afin de pouvoir ajouter :
— une remarque de dernière minute,
— une idée soudaine,
— le numéro du document qui vient illustrer le propos.

Il est préférable d'écrire en assez grosses lettres et à l'encre noire, ce qui se voit mieux.

Chaque grande partie est isolée des autres par un espace. Le titre est nettement mis en valeur par un surlignage de couleur par exemple.

Sur une feuille à part, les points importants de l'exposé seront résumés.

Sur une autre feuille, l'orateur peut rédiger complètement l'introduction et la conclusion.

Remarque

Si l'orateur n'est plus un débutant mais un orateur confirmé, il peut abandonner sa préparation détaillée et se contenter de quelques mots-clés jetés sur une feuille de papier.

ENTRAÎNEZ-VOUS

Une recherche, même limitée, conduit inévitablement à une bibliothèque.
— Si on connaît l'auteur, il faut chercher les références du livre que l'on désire dans le fichier « AUTEURS » ;
— Si on a un sujet de recherche, il faut s'orienter vers le fichier « MATIÈRES ».

1. Vous voici devant une fiche « MATIÈRES ».
Complétez par les renseignements suivants les indications ci-contre désignées par des flèches : dimensions, lieu d'édition, cote (permettant de trouver le livre sur les rayons), auteur, sujet, date de parution, nombre de pages, le livre est illustré, collection.

Energie

621.8 LAC — LACAS (Louis). - Le Guide des énergies douces. - Neuilly-sur-Seine, Dargaud, 1980. - 224 p. ; ill. ; 22 cm.

— (Rustica sens pratique).

●

2. Remplissez une fiche « MATIÈRES » à l'aide des indications suivantes :
Paris ; 980.5 ROC ; ROCHEFORT (Michel) ; 18 cm ; (Que sais-je ? ; 1 224) ; Géographie de l'Amérique du Sud ; P.U.F. ; Amérique du Sud ; géographie ; 126 p. ; 1974.

L'exposé, plans possibles

Le plan, la structure fournissent à l'auditoire le cadre de référence indispensable à la compréhension du raisonnement. Il permet d'accélérer la circulation de l'information, de recueillir rapidement les avis des personnes concernées. Le choix du plan s'effectue en fonction du sujet et des attentes de l'auditoire.

▲ Le plan linéaire

— Structure : l'exposé se divise en plusieurs parties se subdivisant en paragraphes. Chaque paragraphe contient un point-clé, des exemples, des précisions et un résumé.
— Utilisation : c'est le plan le plus classique. On l'utilise pour exposer les caractéristiques essentielles d'un sujet, par exemple : les effets du cholestérol. C'est une description analytique. Elle s'applique très bien aux exposés scientifiques.
— Avantage : la structure linéaire est facile à suivre, les notes aisées à prendre. Elle est didactique et donc répétitive. Limite : on risque de lasser l'auditoire.

▲ Une variante : le plan-scénario

— Structure : elle consiste en une suite d'affirmations reliées entre elles et qui mènent à une conclusion.
— Utilisation : cette méthode permet de décrire des thèmes par exemple ceux d'une œuvre littéraire, de présenter des compte-rendus historiques, des rapports scientifiques.
— Avantage : cette organisation semble aller de soi.
Limite : elle nécessite des récapitulations fréquentes pour ne pas perdre le fil.

▲ L'exposé construit autour d'un problème

— Structure : l'exposé comporte la définition du problème, l'énoncé des arguments, des preuves appuyant chaque solution, la contre-proposition, la récapitulation.
— Utilisation : cette méthode est précieuse pour analyser des prises de position, des solutions avancées pour résoudre un problème.
— Avantages : cette démarche est très stimulante pour l'esprit de ceux qui écoutent. Elle cerne bien les tenants et les aboutissants du problème. Elle favorise le débat.
— Limite : il faut énoncer le problème de départ sinon la structure de l'exposé se dilue. Cette démarche est un découpage artificiel du réel.

▲ La méthode associative

— Structure : elle procède par diverses associations : association de mots (synonymes et antonymes), association d'images (rêves personnels, films et tableaux vus...), association de disciplines (quelles disciplines s'intéressent au même problème). Toutes les pistes sont explorées et triées.
— Utilisation : cette méthode répond à un désir d'approfondissement culturel, à une volonté de réfléchir ensemble, sans forcément aboutir à des solutions. Exemple : Quelles sont les répercussions sociales et psychologiques de la baisse de la natalité en Europe ?
— Avantage : cette méthode sollicite le savoir et l'imagination et débouche sur une production très riche d'idées.
— Limite : elle tient à la structure, l'impression qu'aucune solution n'existe.

EXEMPLES DE PLAN

Plan linéaire

Le sujet :
Les antibiotiques sont-ils toujours efficaces ?
L'introduction
L'annonce du plan suit l'accroche :
Les antibiotiques ont augmenté l'espérance de vie de dix ans.
Mais les bactéries résistent de mieux en mieux. Les laboratoires sont sans cesse obligés d'inventer.
Développement :
I. La puissance de certains virus : montrer ce qu'ils provoquent.
II. La course poursuite des laboratoires.
III. La découverte de familles d'antibiotiques efficaces.
La conclusion
Résumé des principaux points. Espoir.

Plan scénario

Le sujet : Les étapes de l'unité européenne.
I. 1929-1950 : naissance
1929 : Aristide Briand propose la création de « États-Unis d'Europe ». L'arrivée d'Hitler met fin à cette idée.
1947 : les États-Unis lancent le plan Marshall. En 1948 se crée l'OECE (Organisation européenne de coopération économique).
1949 : les États-Unis et le Canada signent avec l'OECE le traité de l'OTAN. Le Conseil de l'Europe se crée la même année.
II. 1950-1957 : formation de la Communauté européenne.
1951 : la CECA (Communauté européenne du charbon et de l'acier).
1957 : le 25 mars, traité de Rome :
CEE : Communauté économique européenne
CEEA : Communauté européenne de l'énergie atomique.
III. 1958-1970 : l'Europe des six (France, Allemagne, Italie, Belgique, Hollande, Luxembourg).
1961 : la Grande Bretagne pose sa candidature.
1963 :refus du Général de Gaulle.
1968 : union douanière.
IV. Depuis 1970 : extension de l'Europe (Grande-Bretagne, Irlande, Danemark, Norvège)
1972 : le serpent monétaire.
1975 : les accords de Lomé (CEE + Afrique)
1975 : les Britanniques.
1979 : Elections au Parlement européen SME.
1981 : Grèce, Espagne, Portugal.

Plan construit autour d'un problème

Le sujet :
L'Afrique du sud est-elle sur le point d'exploser ?
Introduction.
Elle expose le problème :
Les Noirs, majoritaires acceptent de moins en moins leur situation.
Les Blancs, minoritaires maintiendront-ils leur pouvoir ?
Solution 1
Les Blancs d'un côté, les Noirs de l'autre
— le régime de l'apartheid
— la répression
Solution 2
L'affrontement violent
— des chiffres impressionnants
— les bantoustans
Solution 3
Eviter la violence par le dialogue
— les modifications de la constitution
— l'influence de Mgr Desmond Tutu
La conclusion
Elle récapitule et ouvre la débat.

Réussir un exposé - la présentation

Pour réussir la présentation d'un exposé la connaissance approfondie du sujet et la rigueur des propos s'imposent mais ne suffisent pas. Au-delà de l'aspect intellectuel, la difficulté fondamentale est d'ordre relationnel : il faut que l'auditoire se sente concerné, pris en charge par l'orateur. Pour y parvenir l'orateur doit nécessairement s'impliquer en tant que personne.

▲ La connaissance de l'auditoire

— Quelle que soit la composition de l'auditoire, l'auteur de l'exposé doit savoir que la capacité d'écoute et d'attention d'un groupe diminue avec le temps et évolue par cycles. Le schéma page 109 montre comment se répartit le temps d'écoute sur 45 minutes. Il est donc important de concevoir un déroulement qui tienne compte de ces données observables.

▲ Le déroulement

— Le contenu de l'exposé compte mais ce que voit et entend l'auditoire, c'est d'abord la personne. C'est par le corps que l'orateur atteint son public. Il faut qu'il y ait une cohérence entre les propos et le comportement non-verbal.

Le contenu	**L'implication physique**
Le lancement C'est le moment où l'orateur vient s'installer, il va commencer à parler. Il est parfois présenté par une tierce personne.	L'orateur prend du regard la dimension du groupe, attend qu'il soit prêt à l'écouter.
L'introduction L'orateur introduit le sujet de façon amicale, originale pour situer le sujet : il commence par une anecdote, une référence à son expérience personnelle ou une question provocatrice. Il annonce le plan.	Il profite de la bonne concentration du groupe pour regarder les participants et leur sourire.
Le développement L'orateur apporte un soin particulier à l'enchaînement de son raisonnement. Il annonce clairement le nouveau point non sans avoir résumé le point précédent. Il veille à relancer l'attention défaillante : — il raconte une anecdote, — il utilise des appuis visuels, — il multiplie les exemples.	Il appuie les points-clés de l'argumentation par des gestes. 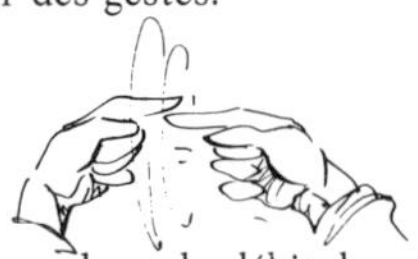 Il varie le rythme du débit, le volume de la voix, multiplie les pauses.
La conclusion L'orateur en arrive à la fin de son exposé. Il ne craint pas de répéter les points-clés et l'idée-maîtresse. Le niveau d'attention est élevé. Il réaffirme ce qu'il a dit, émet un doute, pose des questions, ouvre la réflexion et lance le débat.	L'orateur regarde intensément son public.

POINTS DE REPÈRE

Temps d'écoute sur 45 mn

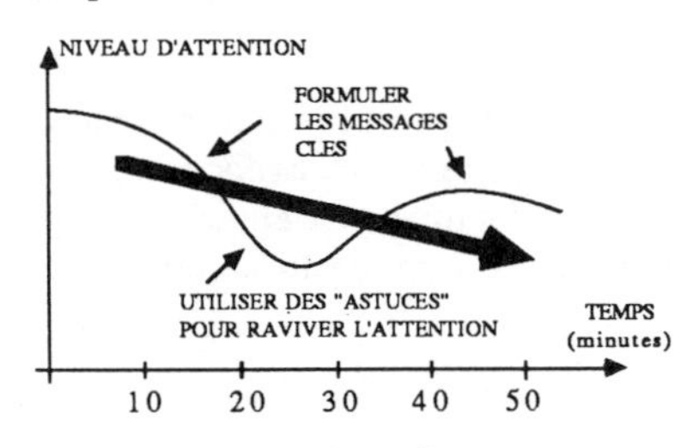

Gestes non maîtrisés

Fiche de vérification de la salle

— Arriver avant l'heure.

— Vérifier l'emplacement des prises de courant, des écrans et des tableaux.

— Vous assurer qu'on peut bien voir de tous les points de la salle.

— Vérifier le bon fonctionnement des appareils audio-visuels : projecteur de diapositives, magnétophone, retroprojecteur.

— Classer et ranger les diapositives dans le panier.

— Faire le point sur l'une des diapositives.

— Prévoir des rallonges électriques et un adaptateur pour les prises de courant.

— Vérifier le nombre de places disponibles et le nombre de participants prévus.

ENTRAÎNEZ-VOUS

Comment vous entraîner pour améliorer vos exposés :

1. Multiplier les occasions de produire des exposés sur des contenus que vous dominez.

2. Imaginer des publics différents.
Cette technique consiste à produire un message pour différentes cibles.
Ex. : Parler de l'image de synthèse
- **à une classe de CM2**
- **à des élèves de terminale**
- **à l'ensemble du personnel de l'entreprise.**

Cette méthode permet de dégager les idées-clés, de définir l'objectif de l'exposé.

3. Imaginer des sujets qui vous concernent en tant que citoyen plutôt que simplement en tant que professionnel.
Ex. : Quels changements peut-on attendre de la régionnalisation ?
Faut-il construire des centrales nucléaires près des villes ?
En se rodant sur une douzaine de sujets, on acquiert une fluidité verbale.

4. Analyser les discours que l'on juge efficaces.
Il est préférable de choisir des discours provocateurs avec lesquels on n'est pas forcément d'accord. Repérer les idées-clés et leur organisation.

Présenter un dossier devant un jury

Les épreuves orales deviennent de plus en plus déterminantes dans la délivrance des diplômes. Lorsque l'épreuve s'appuie sur un rapport ou un dossier, on peut la décomposer en deux temps : présenter son travail et convaincre le jury de la valeur de son travail.

▲ Présenter son travail

— Caractéristiques de cette étape :
1. Tenir compte du temps global de l'intervention pour organiser la préparation.
2. Sélectionner les aspects les plus positifs du dossier pour les mettre en valeur.
3. Hiérarchiser la présentation des différentes informations. On commence par les plus importantes. Si l'on doit s'interrompre, l'essentiel a été dit.

— Une démarche possible :
1. Indiquer les raisons du choix du sujet.
2. Présenter les objectifs que l'on s'est fixé en se lançant dans l'étude.
3. Relever les difficultés rencontrées pour la réalisation de la recherche.
4. Indiquer les points pour lesquels l'étude a abouti à des conclusions définitives.
5. Indiquer les points pour lesquels l'étude n'a pas abouti.
6. Proposer de nouvelles pistes de recherche.

— Comment présenter :
On peut tout écrire et lire en donnant l'impression que l'on parle.
On peut présenter le travail à partir de notes qui servent de guide à la parole.
Dans les deux cas on s'adresse à tous les membres du jury. On pose le regard sur chaque personne avec une égale intensité.

▲ Convaincre le jury

— Caractéristiques de cette étape :
1. Bien tenir compte des réactions des membres du jury.
2. Ne pas hésiter à simplifier pour privilégier l'essentiel du message.
3. Relancer l'attention par la présentation d'un graphique, par le récit d'une anecdote.

— Une démarche possible :
Explication : il s'agit de ne laisser aucune zone d'ombre dans ce que l'on présente. On considère que le jury ne connaît rien à la question et qu'il faut lui expliquer avec soin chaque problème.
Sélection : on présente les éléments qui serviront à prouver le point de vue que l'on défend. On élimine tous ceux qui pourraient prêter flanc à la critique.
Transmission : on fait en sorte que le jury reçoive correctement le message. On ne peut vérifier qu'en observant les réactions. Pour être sûr d'être compris, on emploie des phrases courtes, des mots simples, des termes techniques s'ils sont expliqués.

LE JURY

Le vêtement parle pour vous.

— Si le costume trois pièces présente un aspect trop cérémonieux, une veste de tweed et une cravate sont couramment portées lors d'un exposé devant un jury.

— Le bleu est actuellement une couleur associée à l'idée de compétence et de volonté persuasive. Le vert est à proscrire ; de nombreuses superstitions connotent défavorablement cette couleur.

— L'essentiel dans une présentation devant un jury est d'éviter de donner une impression de négligence ou de provocation dans la tenue vestimentaire.

Les attentes du jury

— Un jury est toujours favorablement impressionné par la présentation du candidat.

— Le jury attend une attitude calme et sereine, un ton neutre et posé, un maintien mesuré.

— Un candidat attentif aux réactions des différents membres du jury prouve sa faculté d'adaptation à la communication.

Grille d'évaluation personnelle

	OUI	NON
— Avez-vous attiré et retenu l'attention et l'intérêt ?	☐	☐
— Votre exposé était-il bien construit ?	☐	☐
— Avez-vous utilisé des aides visuelles ?	☐	☐
— Avez-vous suscité, encouragé des interventions ?	☐	☐
— Avez-vous utilisé un langage simple, correct, clair ?	☐	☐
— Avez-vous parlé sur le ton qui convenait ?	☐	☐
— Avez-vous maîtrisé vos gestes ?	☐	☐
— Pouvait-on bien vous entendre ?	☐	☐
— Votre démonstration était-elle bien structurée ?	☐	☐
— L'installation matérielle était-elle convenable ?	☐	☐

ENTRAÎNEZ-VOUS

Entraînez-vous seul en enregistrant au magnétophone des interventions à partir des sujets suivants :
L'augmentation de la population mondiale est un risque important pour l'avenir de notre planète.
L'automatisation des moyens de production est un facteur de chômage.
La télévision est un instrument de culture populaire irremplaçable.

Discuter avec un jury

Après la présentation d'un rapport ou d'un dossier, les épreuves orales se poursuivent parfois par une discussion avec le jury. Au cours de cet entretien, deux étapes sont nécessaires : écouter puis discuter.

▲ Les interventions du jury

— Lorsqu'un membre du jury prend la parole, le candidat devient le destinataire principal du message. Un membre du jury peut émettre différents types de discours à propos du travail d'un candidat.

— Le jury formule un commentaire. Dans ce cas il analyse le travail présenté, complète certains aspects par des informations personnelles, exprime un point de vue individuel sur le travail.

— Le jury pose des questions.
Il désire des informations complémentaires sur le sujet, il veut vérifier certains aspects présentés dans le dossier.
Il veut faire apparaître des incorrections dans la formulation écrite du rapport, des fautes d'orthographe, de syntaxe,...
Il indique des différences de point de vue. Elles portent sur le fond du sujet, il s'agit de questions d'interprétation.

▲ Les explications du candidat

— Dans ce type de situation, le jury a l'initiative et le candidat est dépendant. Le jury décide du mode d'intervention du candidat.

— Le candidat répond aux questions. Les questions peuvent être posées une à une ou être groupées.
Le candidat apporte les renseignements demandés par les questions informatives.
Le candidat reconnaît les erreurs qu'il a pu faire dans le texte de son dossier.
Le candidat est en désaccord avec l'interprétation donnée par le jury. Il amorce son argumentation.

— Le candidat argumente.
Il réfute les objections du jury en précisant sur quelle théorie elles s'appuient.
Il explicite les objections du jury pour montrer qu'il comprend la critique qui lui est faite.
Il concède des faiblesses dans son explication, sur des points de détail.
Il apporte des informations supplémentaires qui prouvent le bien fondé de son interprétation.
Il montre en conclusion pourquoi, malgré quelques faiblesses, son interprétation est justifiée.

POINTS DE REPÈRE

Le regard du jury

— Le regard signal. C'est le regard d'un membre du jury pendant un moment de silence pour inviter le candidat à prendre la parole.

— Le regard dominant. Lors d'une discussion entre deux personnes de statut hiérarchique différent, celui qui est d'un statut supérieur regarde plutôt en parlant, celui qui est d'un statut inférieur regarde plutôt en écoutant.

— Le regard constant. Lorsque le jury est composé de plusieurs personnes, le candidat doit essayer de regarder tout le monde avec la même intensité.

Lire les mimiques

Bouche	Regard	Sourcils	Interprétation
souriante	droit	normaux	enthousiaste content
fermée	baissé	légèrement froncés	absent triste
fermée commissures descendantes	droit	froncés	mécontent en colère
fermée avec une moue	dévié	légèrement froncés	déçu dégoûté

Clarifier son propos

Si l'on est interrogé sur une interprétation de faits, on organise son propos en trois temps :

1. Je constate. Expressions : j'ai observé, j'ai remarqué, ...
2. Je pense. Expressions : à mon avis, il me semble, ...
3. Je propose. Expressions : il conviendrait de, il serait utilise de, ...

Sur quoi appuyer son intervention

— Lors d'une discussion avec un jury à propos d'un rapport, on appuie constamment ses interventions sur ce qui est contenu dans le mémoire, puisque c'est ce travail qui est présenté.

— A propos d'une question portant sur un point précis du mémoire, on se replace immédiatement par la pensée dans la situation qui a amené la rédaction de ce passage. On se remémore ainsi les circonstances qui ont présidé à cette rédaction.

Comment répondre à une objection

— La technique de l'effritement.
Il s'agit de réduire l'objection en unités plus petites pour mieux y répondre.

— La technique de la reformulation transformation.
Cette technique consiste à reprendre l'objection et à en transformer légèrement le sens au moment de la reformulation. Par le choix des mots, on déplace l'objection vers un terrain plus favorable.

— La technique de l'affaiblissement.
Par une reformulation qui minimise l'objection on réduit son intensité. Par la douceur on oriente le « non » vers le « peut-être », puis le « peut-être » vers le « oui ».

ENTRAÎNEZ-VOUS

1. Présentez une situation de votre vie professionnelle ou personnelle en utilisant une organisation en trois temps :
1. Je constate
2. Je pense
3. Je propose.

Parler à un public

Parler devant un vaste public est difficile : la foule est exigente, l'endroit, s'il s'agit du plein air, mal adapté à la communication. S'il veut réussir une brillante prestation, l'orateur devra être averti des réactions possibles d'une foule, faire preuve des qualités nécessaires et construire un discours adapté à la situation.

▲ Connaître son public

— Pour être « en phase » avec son public l'orateur doit connaître les caractéristiques de l'auditoire :
• le nombre de personnes approximativement
• les raisons du rassemblement : acclamer, revendiquer, défiler...
• l'origine sociale des gens : ce sont des citadins, des paysans, des étudiants, des femmes, des chômeurs.

— Chaque fois que le rassemblement approche ou dépasse les 1 000 personnes, les phénomènes de foule sont vérifiables. Quels sont-ils ?
• La foule venue écouter un homme politique, une vedette est en situation d'attente, elle se trouve en état de tension collective. Les émotions se répandent rapidement et le niveau de réflexion a tendance à baisser.
• Les individus sont proches les uns des autres au sens propre : il y a peu ou pas de distance entre les personnes, ils sont proches au sens figuré : ils ont en commun le fait d'être présents pour la même occasion, ce qui sous-entend l'existence de valeurs communes : ils apprécient le même leader, ils partagent les mêmes idées.
• Les comportements se calquent, déteignent les uns sur les autres. Ceci est facilité par le sentiment de rester anonyme dans la foule et protégé par le nombre.

▲ Les qualités de l'orateur

— Plus l'auditoire est important, plus l'esprit de tolérance diminue. Aucune erreur ne sera pardonnée à l'orateur maladroit.

— Si l'orateur n'est pas connu, il a à s'imposer par la voix, une certaine présence, une aisance dans la communication et l'expression. C'est à ce prix qu'il insufflera confiance et enthousiasme.

▲ Construire un discours adapté à la situation

— L'orateur garde en tête l'effet à produire sur le public. Son intention peut être variable : exhorter à l'action, se faire plébiciter, faire approuver un programme, soutenir un candidat, se faire élire, réunir une somme d'argent pour une cause, emporter l'adhésion, faire voter un texte, empêcher le vote...

— L'orateur se fait connaître, explique pour quelles raisons il est amené à prendre la parole dans cette circonstance. Il faut à tout prix éviter que cette question naisse dans les esprits : « Que vient-il faire ici celui-là ? ».

— L'orateur montre qu'il est au courant des problèmes qui agitent la foule.

— L'orateur s'exprime clairement dans un langage imagé. La démonstration abstraite n'atteint pas la foule qui ne peut être touchée que par des formules frappantes.

— L'orateur évite de provoquer le groupe en l'assaillant de reproches qui peuvent déclencher des réactions de rejet vite incontrôlables.

ENTRAÎNEZ-VOUS

Sachez évaluer la prestation d'un orateur en public ou regardé à la télévision.

Allure générale

a) maintien :	☐ *à l'aise*	☐ *nerveux*	☐ *démonté*
b) enthousiasme :	☐ *plein d'enthousiasme*	☐ *modéré*	☐ *aucun enthousiasme*
c) attitude :	☐ *ouverte*	☐ *effrayée*	☐ *renfermée*
d) présentation :	☐ *séduisante*	☐ *convenable*	☐ *rebutante*
e) gestes :	☐ *en situation*	☐ *artificiels*	☐ *inexistants*

Voix

a) audibilité :	☐ *distincte*	☐ *parfois indistincte*	☐ *fréquemment indistincte*
b) timbre :	☐ *agréable*	☐ *rauque, métallique*	☐ *monotone*
c) débit :	☐ *convenable*	☐ *un peu rapide ou un peu lent*	☐ *trop rapide ou trop lent*
d) diction :	☐ *très bonne*	☐ *convenable*	☐ *défectueuse*
e) puissance :	☐ *forte*	☐ *moyenne*	☐ *faible*

Contenu du discours

a) plan :	☐ *bien préparé*	☐ *convenable*	☐ *médiocre*
b) longueur :	☐ *adaptée*	☐ *un peu courte ou un peu longue*	☐ *trop courte ou trop longue*
c) grammaire :	☐ *très correcte*	☐ *convenable*	☐ *défectueuse*
d) exemples :	☐ *concrets*	☐ *peu convaincants*	☐ *incompré-hensibles*
e) information :	☐ *complète*	☐ *moyenne*	☐ *peu précise*

Réaction de l'auditoire

a) attention :	☐ *auditoire très attentif*	☐ *moyennement attentif*	☐ *inattentif*
b) sentiment général :	☐ *confiance*	☐ *inquiétude*	☐ *opposition*
c) commentaires :	☐ *favorables*	☐ *pas de commentaires*	☐ *critiques*
d) compréhension du sujet :	☐ *très bonne*	☐ *moyenne*	☐ *mélangée*
e) sujet de l'intervention :	☐ *a « accroché »*	☐ *a intéressé moyennement*	☐ *non apprécié*

Tiré de « Savoir parler en toutes circonstances » par Yves Furet et Sara Peltant, Retz, 1975.

Le compte rendu de réunion

A l'issue d'une réunion, la rédaction d'un compte rendu qui sera adressé à chacun des participants, est une étape indispensable. Rédigé par le secrétaire de séance, le compte rendu sert d'aide-mémoire pour l'action envisagée.

▲ Le secrétaire de séance

— Qui est secrétaire de séance ?
Ce ne peut être l'animateur. Un seul individu ne peut remplir les deux fonctions. Il risquerait d'imposer sa propre vision des faits.
C'est généralement une personne qui n'est pas partie prenante dans le débat. Ce qui assure une certaine impartialité à la relation des faits.

— Les qualités d'un secrétaire de séance.
Il doit avoir une grande capacité d'écoute et pouvoir ne pas se sentir concerné par le sujet abordé.
Il doit avoir un bon esprit de synthèse, être capable de dissocier rapidement l'essentiel de l'accessoire, l'opinion du fait.

— Le rôle du secrétaire de séance.
Il prend en cours de séance les notes qui lui permettront de rédiger son compte rendu. Il note non seulement les paroles, mais aussi les réactions non verbales (gestes, mimiques, attitudes,...).
Lorsque le débat est enregistré au magnétophone, il note le chiffre du compteur au moment où commence l'étude d'un nouveau point de l'ordre du jour.
Dès la fin de la réunion il rédige le compte rendu qu'il adressera ensuite à chacun des participants.

▲ Le compte rendu

— Le compte rendu est un exposé sommaire concernant le contenu et le déroulement d'une réunion, établi immédiatement après celle-ci. Il n'interprète pas les faits, ne propose aucune solution autres que celles évoquées lors de la réunion. Il présente les points abordés dans l'ordre chronologique du déroulement de la réunion.

— La matière première du compte rendu :
Les prises de notes, les enregistrements magnéto ou vidéo de la réunion, les documents que les intervenants ont distribués, la mémoire du secrétaire.

— L'organisation d'un compte rendu :
Il reprend l'objectif de la réunion.
Il précise le jour, l'heure et les présents à la réunion.
Il indique les problèmes abordés lors de la réunion.
Il reprend pour chaque problème abordé : les points d'accord, les points de désaccord, les décisions prises, les propositions faites, les problèmes en suspens.

POINTS DE REPÈRE

Formes voisines du compte rendu

— Le procès verbal.

C'est la transcription intégrale d'une réunion. On l'utilise généralement dans les réunions de négociation entre parties à intérêts opposés, pour éviter les interprétations subjectives des décisions prises ou des propositions faites.

— Le rapport.

Comme le compte rendu le rapport est une synthèse écrite d'une réunion, mais la perspective est différente. Le rapport doit déboucher sur la recommandation d'une action ou d'une série d'actions. Le rapport implique son rédacteur.
La rédaction d'un rapport est très rigide. On y trouve :
• un préambule : il renseigne tout de suite le lecteur sur l'objet du rapport,
• une introduction : elle constate et expose la situation,
• un développement : il interprète chaque fait et argumente en faveur d'une thèse. Il peut comporter plusieurs parties. Chaque partie constate un fait, examine ses conséquences, tire une conclusion partielle,
• une conclusion générale : elle fait des propositions et suggère la décision à prendre.

La grille d'analyse du secrétaire de séance

Fait	Opinion	Action proposée
Je constate	Je pense	Je propose

Pour chacun des points abordés, le secrétaire remplit une grille identique à celle-ci.

Principes de la synthèse

— La synthèse saisit les relations entre les éléments d'un problème.

— Une synthèse comporte plusieurs aspects :
• elle rassemble tous les éléments communs dans les faits et les classe par ordre d'importance,
• elle met en évidence les divergences,
• elle dégage les différences.

La pensée dialectique

C'est une forme de pensée en mouvement qui se construit en trois temps :
• la thèse : c'est l'affirmation d'une idée qui peut être prouvée par des arguments,
• l'antithèse : c'est la recherche des contradictions de la thèse ou c'est la formulation d'une thèse opposée à la première,
• la synthèse : c'est le dépassement de la thèse et de la synthèse pour déboucher sur une idée nouvelle qui fera apparaître à nouveau des points communs, des points divergents et des points différents.

Grille de synthèse pour l'action

Objectifs d'action	Echéances	Responsables	Moyens

Le rapport oral

La présentation orale d'un rapport reprend la structure du rapport écrit. Mais il ne s'agit pas de relire la totalité de ce qui a été écrit puisque les interlocuteurs en ont déjà pris connaissance. On apporte des compléments d'information

▲ Qu'est-ce qu'un rapport

— Un bon rapport doit répondre à ces deux questions : « Comment les choses sont-elles arrivées ? » et « Pourquoi se sont-elles déroulées ainsi ? ». Le degré de complexité de la réponse à ces questions dépend de ceux qui écoutent le rapport.

— Un rapport expose.
Il répond à la question « Comment les choses sont-elles arrivées ? »
C'est la description de l'enchaînement logique et chronologique des faits.
Des plus anciens vers les plus récents.

— Un rapport interprète.
Il répond à la question « Pourquoi les choses se sont-elles déroulées ainsi ? » Il s'agit pour chaque événement d'analyser les causes et de démontrer la justesse de l'analyse. On présente l'interprétation dans tous ses détails afin de ne pas laisser à l'auditeur le soin de s'occuper des détails implicites.

— Un rapport propose une action.
Il répond à la question « Par quels moyens peut-on supprimer cet inconvénient ? »
Supprimer la cause du disfonctionnement peut être un moyen. Lorsqu'on ne peut la supprimer, on propose le moyen de supprimer les conséquences les plus néfastes.

▲ Attirer l'attention : le préambule

— Le préambule renseigne sur l'objet du rapport, la cause qui l'a motivé (institutionnelle, personnelle, ...) Le préambule expose précisément le problème abordé. Il doit être clair, net, précis.
Exemple : Au cours de notre réunion du... Monsieur M m'a demandé de rechercher les moyens d'améliorer le planning d'utilisation de la photocopieuse, le lundi matin, afin d'éviter l'encombrement qui se produit vers 10 heures.

▲ Inspirer l'intérêt : l'introduction

L'introduction indique la manière dont vous avez mené votre enquête. Elle précise le plan de votre développement. Elle dit le crédit que vous apportez à tel ou tel document que vous avez utilisé. Elle évoque les difficultés rencontrées (matérielles, institutionnelles, psychologiques, ...) Elle dit en quoi l'objectif a été atteint. Elle précise les points qui restent à creuser.

▲ Conseiller : la conclusion

La conclusion reprend brièvement la structure de l'exposé.
Elle indique les solutions proposées et leur chances de réussite.
Elle préconise une solution au problème posé.

POUR FAIRE UN RAPPORT DYNAMIQUE

Que noter pour présenter son rapport ?

— Tout écrire

Certains rapporteurs écrivent en totalité leur présentation du rapport pour être sûrs de ne rien oublier de ce qu'ils ont à dire.
Inconvénient : ils risquent de rester prisonniers de leurs notes et de ne pas communiquer avec leurs interlocuteurs.

— Ne rien écrire

On peut se présenter sans aucune feuille, en ayant tout appris par cœur et en faisant confiance à sa mémoire pour ne rien oublier.
Inconvénients : la mémoire peut faillir, donne une impression de désinvolture en cas d'oubli. La récitation d'un texte n'assure pas la communication avec l'auditoire.

— Un canevas

On peut n'écrire que le canevas de son intervention (le fil directeur) et présenter le rapport en s'appuyant sur ses notes.

— Un patchwork

On peut mélanger tous ces modes de présentation. Avoir un canevas sur lequel certaines parties seront rédigées intégralement (les points les plus ardus à présenter). A d'autres moments des mots clés organiseront la parole.
L'essentiel est que les interlocuteurs aient l'impression de participer à une véritable communication, c'est-à-dire qu'ils se sentent pris en compte dans la communication.

Comment animer un rapport

— Se mettre en scène
Pour être persuasif, un rapport efficace présente une exposition personnalisée. Il est préférable d'employer la première personne, de dire « Je ». C'est une manière d'assumer ses propos.

— Montrer son travail
Pour faciliter le premier contact avec les interlocuteurs, on peut illustrer l'introduction et l'annonce du plan au moyen d'un support visuel.
Le tableau de papier : on y inscrit le plan au fur et à mesure qu'on l'énonce. Il reste visible pendant la prise de parole.
Le rétroprojecteur : il permet de proposer directement le plan, de laisser l'auditoire en prendre connaissance avant de le commenter.

La disposition des lieux

Dans une présentation en petit comité, on dispose les tables en U. Les participants se voient tous. Ils voient également tous le support visuel (tableau, chevalet, écran).

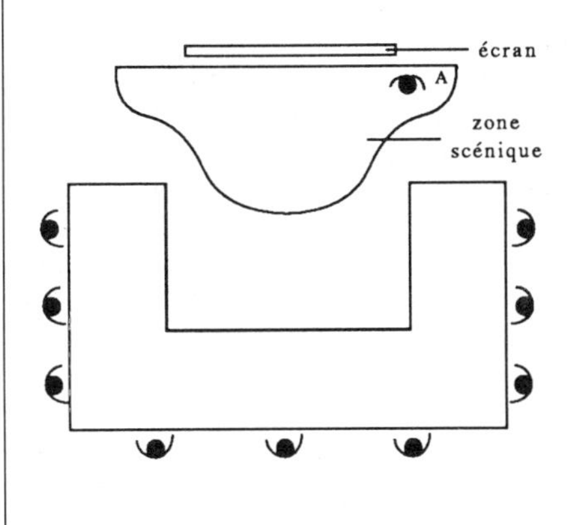

Comment faire une allocution ?

L'allocution de circonstance est un rite. A l'occasion d'un événement officiel, une personne est à l'honneur devant un public d'amis, de membres de sa famille, de collègues, de supérieurs. Les félicitations, la récompense s'accompagnent de brefs discours qui retracent la carrière, dessinent un portrait valorisant de la personne et expriment solidarité et respect.

▲ L'élaboration du texte - La recherche des renseignements

S'il s'agit d'une allocution préparée, il est souhaitable de consulter l'intéressé. L'objectif de cet entretien est de recueillir des informations sur l'enfance, la carrière, les motivations, les principes et les valeurs auxquels la personne est attachée. On peut lui demander de décrire avec précision une journée-type, de raconter une anecdote, son meilleur souvenir professionnel, sa plus grande crainte.
Il est intéressant aussi de contacter les collaborateurs de la personne.

▲ Le déroulement de l'allocution

— L'entrée en matière
Dans une circonstance officielle : promotion, départ en retraite, remise de médaille, les allocutions se succèdent. Il faut donc que chaque orateur se situe.
Exemple : « Dans quelques instants, Madame le Maire va vous remettre les insignes d'officier du Mérite Agricole. Au nom du personnel de la mairie et à la demande de Madame le Maire, j'ai la charge de prononcer quelques mots ».
Il n'est pas facile de prononcer quelques phrases justes et encore moins de les improviser. L'auditoire le sait. L'orateur confie sa difficulté et apparaît ainsi comme quelqu'un de proche.
Exemple : « La tâche honorable qui m'est confiée n'est pas facile ».
En même temps l'orateur considère ce moment comme un honneur, il se doit de communiquer sa joie d'avoir été choisi. Le regard et le sourire sont à ce moment-là indispensables.

— Le développement
Cette prise de parole est l'occasion pour l'orateur de tracer un portrait évoquant la personnalité, les caractéristiques psychologiques de la personne et de dire quelques mots sur ce que l'orateur a pu savoir des attachements, des choix de vie manifestés au long de sa carrière.
Il faut éviter de faire une liste monotone des postes et des fonctions occupées mais essayer de transformer l'exercice en dialogue sincère.
Ce qui favorise ou bloque la communication, ce ne sont pas les idées ou la construction du discours mais le degré d'implication personnelle de l'orateur.

— La chute.
Elle tient dans une phrase. L'orateur se tourne vers la personne et redit le message principal de son discours : le bonheur qu'il a de parler au nom de son groupe. Les gestes ont un impact très fort à ce moment. Le regard et le sourire comptent autant que les mots. La fin de l'allocution doit s'accompagner d'un geste final : serrer la main, embrasser, remettre un cadeau, lever son verre.

POINTS DE REPÈRE

Le texte

Voici deux procédés pour faciliter la lecture du texte.

— En le recopiant, ou en le tapant à la machine, prendre soin d'aller à la ligne à chaque pause de la voix. Chaque ligne correspond à un groupe de souffle.

Exemple :
Ces principes
qui sont aussi les nôtres
vous valent aujourd'hui
Monsieur
d'être à l'honneur
Nous vous en félicitons...

— Photocopier le texte dactylographié en l'agrandissant. L'orateur pourra le tenir à distance. Noter les pauses en utilisant un feutre de couleur :
/ pour un silence bref
// pour une pause plus longue
Souligner d'un trait les mots ou les syllabes à accentuer, à mettre en valeur.
Dessiner un œil quand le regard doit impérativement se porter sur le public ou sur la personne en particulier.
Dessiner une bouche pour symboliser le sourire.

Exemple :   

Ces principes / qui sont aussi les nôtres / vous valent aujourd'hui / Monsieur / d'être à l'honneur /

Nous vous en félicitons / Et nous sommes heureux / de partager votre joie //

Il est utile de recopier le texte sur des feuilles rigides et de petit format.

La salle

— Il est rassurant de se familiariser avec les lieux et d'arriver un peu en avance.

— Voici quelques conseils :

prendre la place que l'orateur occupera sur l'estrade ;

prendre la place de quelques auditeurs ;

effectuer le parcours depuis la place de l'orateur jusqu'à l'estrade.

ENTRAÎNEZ-VOUS

L'improvisation.
Lisez le cas suivant :
La secrétaire du service dans lequel vous travaillez prend sa retraite après 30 ans de service. Vous avez organisé une fête avec vos collègues. Le directeur a prononcé quelques mots, c'est à vous.

- **Réfléchissez quelques instants.**
- **Branchez votre magnétophone.**
- **Parlez pendant 4 minutes.**
- **Réécoutez et analysez-vous en répondant aux questions suivantes ?**

Vous êtes-vous présenté ?
Avez-vous fait part de vos difficultés et de joie de prendre ainsi la parole ?
Avez-vous pensé qu'il faudra vous adresser à la personne en la regardant et en lui souriant ?
Avez-vous fait l'éloge de ses qualités ?
Vous êtes-vous souvenu d'une anecdote ?
Avez-vous conclu votre intervention par un geste sympathique ?
Recommencez

Faire une conférence

La conférence met en présence des personnes qui ne se connaissent pas et un conférencier qui n'appartient pas au groupe réuni devant lui. Les auditeurs partagent le même but : recevoir des informations nouvelles, se cultiver. La tâche du conférencier consiste à réduire l'écart entre l'information du groupe et la sienne.

▲ Connaître les caractéristiques de l'auditoire

— Le nombre.
Le public de la conférence peut aller de 30 à 500 personnes. Le conférencier sait que plus le nombre augmente plus la communication se perd.

— La composition.
Selon le niveau d'information et de formation générale, les habitudes supposées, le conférencier devra ajuster son discours, le ton, le niveau de langage. On ne peut pas s'adresser de la même manière à un public d'étudiants et à un public de spécialistes étrangers.

— Les attentes.
Les gens se sont déplacés, ils ont été choisis, ils sont venus sur invitation, ou ils se sont informés et sont présents de leur plein gré. La circonstance peut être plus ou moins solennelle. De toute façon, il s'agit de ne pas les décevoir.

▲ Organiser le temps de parole en cinq points

— Une conférence dure environ une heure. Les phases d'écoute intense se situent au début et à la fin de l'heure.

— Le lancement. Les premières minutes sont capitales pour établir le contact avec l'auditoire. Le conférencier doit réussir à « accrocher » son public dans la présentation qu'il fait de son sujet.

— Après l'exposé du thème. Le conférencier définit et explique les concepts sur lesquels s'appuie son discours, les outils qui vont lui permettre de faire ses démonstrations. Il établit ainsi un consensus minimal entre toutes les personnes présentes. *Exemple :* « Mesdames, messieurs, je vais utiliser à plusieurs reprises l'expression "culture d'entreprise". Je voudrais vous préciser ce qu'il en est... Il faut éviter toute confusion avec... ».

— Le développement. Le conférencier développe son propos. En général il a construit son intervention en trois points étayés par trois idées-clés. Il multiplie les exemples, il doit soutenir une attention permanente à son auditoire, sentir les moments de lassitude et relancer l'écoute.

— La conclusion. Le conférencier reprend les points essentiels de sa problématique. Il ouvre de nouvelles pistes à la réflexion. Il remercie la salle et l'invite à préparer des questions.

— Le débat. Après un temps de pause d'1/4 d'heure, le conférencier engage les échanges avec la salle pour 1/2 heure.

POINTS DE REPÈRE

Les qualités du conférencier

— Ne pas craindre le groupe. Le trac est inévitable mais si l'angoisse est trop présente, elle paralyse et obscurcit les idées si bien que la personne en vient à lire son exposé et à lasser rapidement son auditoire.
— Avoir approfondi le sujet et bien le connaître. Lorsqu'on est capable d'en parler à des publics très différents, c'est qu'on possède le sujet. Le plan et quelques références : chiffres, citations suffisent alors.
— Être un bon orateur : avoir une voix placée (ni trop haute, ni trop basse), une bonne diction, une certaine présence et la capacité d'improviser.
— Être un bon pédagogue : ne pas hésiter à répéter le plan, les idées importantes, savoir utiliser les techniques de relance de l'attention, démontrer à son public qu'il est capable de comprendre.

La salle

Les personnes venues écouter une conférence ont droit à un certain confort :

— avoir une chaise
— avoir accès à une table
— voir sans se contorsioner
— lire sans effort les documents projetés.

Avant l'arrivée du public, le conférencier effectue des vérifications à la manière du sportif qui prend ses marques.

— Il s'installe à sa place.
— Il vérifie la bonne marche des appareils (micro, écran, retroprojecteur, video, stylos-feutre).
— Il se familiarise avec l'espace, se déplace.
— Il prévoit un verre d'eau, il ne fume pas.

Quelques situations délicates	Quelques conseils pour y faire face
Il y a beaucoup moins de monde que prévu. L'estrade et les micros deviennent inadéquats.	On peut regrouper les personnes. Le conférencier se déplace et descend au même niveau que le public.
Un groupe de personnes se révèle bruyant et hostile.	Le conférencier doit analyser rapidement les motivations des deux parties de l'assemblée. Il n'ignore pas la présence du groupe agité, il montre qu'il comprend les attentes des uns et des autres.
Des mouvements de surprise, de désaccord se manifestent.	Le conférencier doit dire qu'il les comprend. Il reprend en l'approfondissant la partie de l'exposé qui a suscité ces réactions.
Des mouvements de lassitude se manifestent.	Le conférencier utilise des moyens pour relancer l'attention : l'anecdote, la confidence, l'humour, la description, la prise à parti. Il ajuste son rythme à celui du public.

Les appuis visuels de la parole : les graphiques (1)

Lorsqu'on doit présenter un tableau de chiffres au cours d'un exposé, on le convertit en graphique. L'auditoire éprouve ainsi moins de difficultés à comprendre. On peut employer les graphiques circulaires ou les graphiques en barres.

▲ Le graphique circulaire

— Le graphique circulaire (camembert) permet de représenter la part respective des différentes parties d'un tout (en pourcentage). C'est un graphique qui ne permet pas de montrer une évolution.

— Exemple d'emploi : on représente par un graphique circulaire la répartition du trafic des marchandises entre les modes de transport, les investissements d'un pays dans le monde.

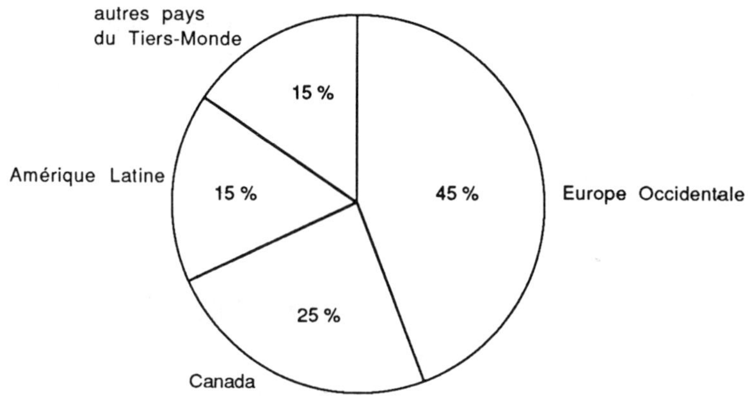

Les investissements américains dans le monde.

▲ Le graphique en barres fractionnées

— Le graphique en barres permet de représenter à un moment donné la quantité ou le volume de plusieurs composants.

— Construction : chaque barre représente la somme de ses éléments constitutifs.
La surface de chaque rectangle est proportionnelle à la quantité représentée.
L'ordre des composants décroît de bas en haut.
On indique la valeur relative (en %) à l'intérieur de la barre.
On indique le nom des composants à l'extérieur.
On indique la valeur absolue (en unités) à côté du nom du composant.

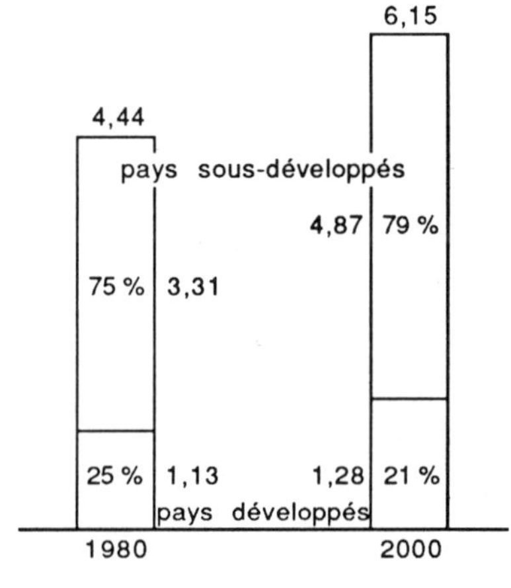

Evolution de la population mondiale (milliards)

POINTS DE REPÈRE

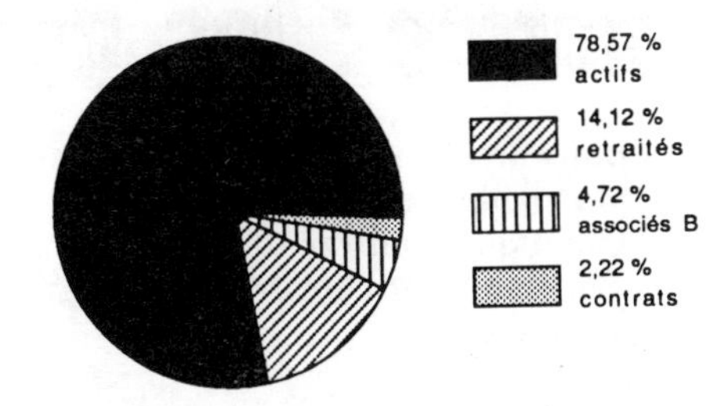

Caractéristiques d'un graphique

1) L'attention est attirée vers la partie supérieure des schémas. C'est pourquoi on y place les légendes.
2) L'œil enregistre bien les éléments situés à droite en bout de ligne (on lit de gauche à droite). Si la légende est essentielle pour la compréhension globale du schéma, on la localise à droite lorsque c'est possible.
3) Le mode de lecture est horizontal. On dispose généralement les légendes de manière horizontale afin de faciliter la lecture.

Le choix des couleurs

On peut utiliser la couleur dans la réalisation d'un graphique pour différencier des variables.
On choisit les couleurs les plus sensibles de loin pour faciliter la lecture de l'auditoire.
Sur un fond blanc (tableau papier, écran de projection, ...) on utilise dans l'ordre : le noir, le bleu, le violet, le vert et le rouge.

La lisibilité d'un graphique

Elle dépend : de sa taille, du nombre des couleurs utilisées, au maximum quatre, du nombre des variables qui sont prises simultanément en compte (lorsqu'elles sont nombreuses on fait plusieurs graphiques), du temps qu'il faut pour tout lire (graphique et légende).

L'orientation du graphique

Un graphique est construit pour imposer une manière de voir, d'analyser une situation. Il doit faire porter l'attention de l'auditoire sur le point que l'on veut mettre en évidence. Dans un souci de clarté on ne peut porter qu'une seule information par graphique.

ENTRAÎNEZ-VOUS

1. Vous devez rendre visuelles les données chiffrées du tableau ci-dessous. Quel graphique allez-vous choisir :
— A. Une courbe
— B. Un graphique en barres
— C. Un graphique circulaire ?

PRESTATIONS MUTUALISTES

Maladie	1 690 141 111,41
Maternité	10 111 535,98
Prévoyance	672 372 044,81
Allocation décès	20 960 979,20
Autres prestations	85 635 006,02
Cotisation technique	30 118 542,59
Prestations à payer	266 830 900,00
	2 766 170 120,01

2. Vous devez comparer les prestations maladie et allocation décès d'une mutuelle sur une période de deux ans. Quel graphique allez-vous choisir :
— A. Une courbe
— B. Une graphique en barres
— C. Un graphique circulaire ?

Les appuis visuels de la parole : les graphiques (2)

Dans un exposé lorsqu'on présente des données chiffrées, il est plus pédagogique de s'appuyer sur une représentation graphique. Pour montrer de manière visuelle l'évolution d'un phénomène on peut choisir d'employer des graphiques en barres ou des courbes.

▲ Les barres doubles

— Définition : les graphiques à barres doubles permettent la comparaison entre deux données (importations / exportations, hommes / femmes, recettes / dépenses, ...) Ces deux données appartiennent à un même ensemble plus vaste (commerce, population, budget).

— Exemple d'emploi : évolution de la production de matières premières dans trois pays producteurs, les partenaires commerciaux d'un pays (importations, exportations), ...

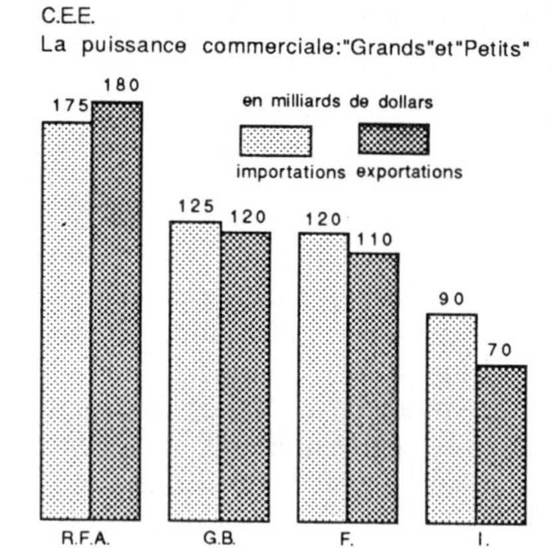

▲ Les courbes

— Définition : les courbes visualisent une évolution sur une longue période. Elles permettent des comparaisons entre différentes données.

— Construction :
Choisir les unités sur chacun des axes : prendre le chiffre lè plus élevé de la série et le porter sur l'un des axes.
Graduer proportionnellement cet axe.
Réaliser la même opération sur l'autre axe.

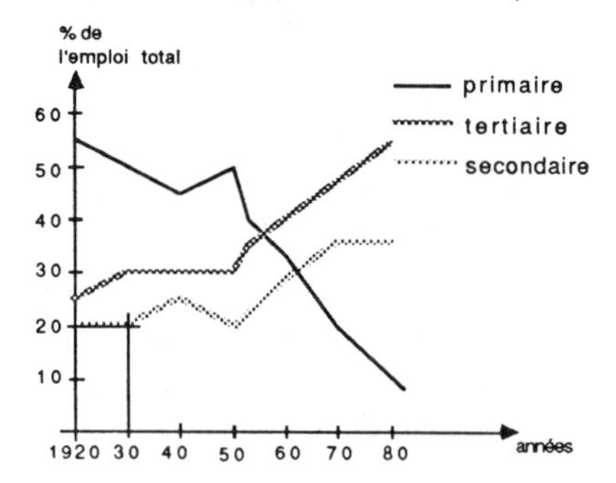

Tracer les points de la courbe.
Relier ces différents points en suivant l'ordre des abscisses.
Donner un titre à la courbe.
Indiquer près de chaque axe les unités de mesure.
Noter sur les axes les données numériques correspondant à chaque point.

POINTS DE REPÈRE

Les graphiques : une double fonction

— Outil d'analyse
Dans un premier temps le graphique est un outil d'analyse.
La lecture et l'exploitation d'un tableau de chiffres est un travail fastidieux. Lorsque le tableau est traduit en graphique, il devient possible de voir immédiatement l'évolution des données et non plus de seulement l'imaginer.

— Outil de communication
Le graphique d'analyse débouche sur plusieurs conclusions regroupées.
Pour communiquer efficacement à l'aide d'un graphique, on ne communique qu'une seule information par graphique. Ainsi elle ressort avec évidence. Si besoin est, on fait autant de graphiques qu'il y a de conclusions importantes à tirer du graphique d'analyse.

Le choix d'un graphique

— Trois variables sont à prendre en compte au moment du choix d'un mode de représentation graphique :

— Quel est l'objectif visé ?
Cherche-t-on à mettre en évidence, à argumenter, à diminuer, à dramatiser l'information ?
S'agit-il d'informer ou de convaincre ?
Selon les réponses à ces questions on choisira le type de représentation graphique qui paraît le plus approprié.

— Quel est le niveau du public ?
Est-il habitué aux chiffres, aux courbes ou non ?
Qu'a-t-il l'habitude d'employer comme outils d'analyse ?
Selon les cas on se déterminera pour la courbe (plus abstraite) ou pour un graphique en barres (plus directement compréhensible).

— Quel est le contenu à communiquer ? Une hausse ? Une baisse ? Une stagnation ?
Selon le cas on pourra jouer sur les unités que l'on choisira. (Voir le choix de l'échelle).

Le choix de l'échelle

— Ce choix se pose lorsqu'on décide de construire une courbe.

— La construction d'une courbe nécessite le choix d'une échelle pour les variables représentées sur l'axe des abscisses et sur celui des ordonnées.
Le choix de cette échelle va influer sur l'impression que produira la courbe.

— Si l'on souhaite pour sa démonstration que les accidents de la courbe soient très marqués on choisit de grands intervalles sur l'axe des ordonnées et des intervalles étroits sur l'axe des abscisses. (A)

— Si l'on souhaite que la pente soit faible, on choisit des intervalles étroits sur l'axe des ordonnées et de grands intervalles sur l'axe des abscisses. (B)

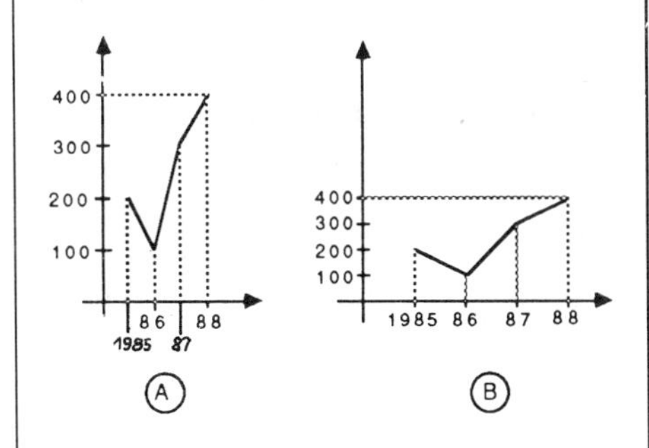

Les appuis visuels de la parole : les schémas

Lors d'un exposé oral on peut être amené à s'aider d'un schéma. Il devient le fil d'Arianne qui permet de garder présent à l'esprit la ligne directrice du discours.

▲ La formulation du message visuel

— Le contenu d'un message visuel ne doit présenter que la partie superficielle de la communication. L'orateur doit faire comprendre tout le sens par son commentaire. Le schéma permet seulement d'avoir une vue globale de l'organisation du discours de l'orateur.

▲ Le schéma écrit

— La formulation points clés :
Elle prend la forme d'un mot ou d'un groupe de mots exprimant les aspects caractéristiques de ce qu'elle présente.
On présente par la mise en page l'organisation de la description.
On indique chaque point clé par un repère (–, *, chiffre,)
On ne présente pas plus de cinq points clés sur le tableau.
On l'emploie pour la description d'une notion abstraite.
— La formulation succincte :
Elle prend la forme de groupes de mots.
Les groupes de mots sont souvent composés de l'association d'un terme abstrait et d'un terme concret.
On l'emploie pour exprimer des faits, des définitions, des raisonnements.
— La formulation message :
C'est une courte phrase complète d'une seule ligne.
On l'emploie pour communiquer un contenu sur lequel repose un raisonnement, une démonstration.

▲ Le schéma dessiné

Il consiste à figurer d'une manière adaptée au public un objet, un processus, une organisation en usant de dessins plus ou moins symboliques et de lettres.
— Les représentations concrètes :
Description : la représentation graphique reproduit les formes, l'aspect de ce qui est présenté. C'est le cas des cartes géographiques, des dessins figuratifs, des photos.
On l'emploie si l'on peut se poser la question : « A quoi cela ressemble-t-il ? »
Explication : le système est représenté par une série de rectangles reliés les uns aux autres par des flèches.
On l'emploie lorsqu'on se pose la question : « De quoi cela se compose-t-il ? »
— Les représentations abstraites :
Raisonnement : le schéma organisé indique les étapes qui permettent de comprendre le fonctionnement d'un système.
On l'emploie lorsque l'on se demande : « Comment cela fonctionne-t-il ? »

LE COMMENTAIRE D'UN SCHÉMA

Si dans une séquence de travail on a besoin de deux schémas, on emploie le même type dessiné ou écrit.
Le choix de la représentation sous forme d'un schéma écrit ou d'un schéma dessiné influence le commentaire oral.

Un schéma écrit

Les points clés du droit d'expression dans l'entreprise

- l'expression est directe et libre
- l'expression est collective
- l'expression se fait sur les lieux de travail
- l'expression porte sur le travail

Un schéma dessiné

La communication dans l'entreprise

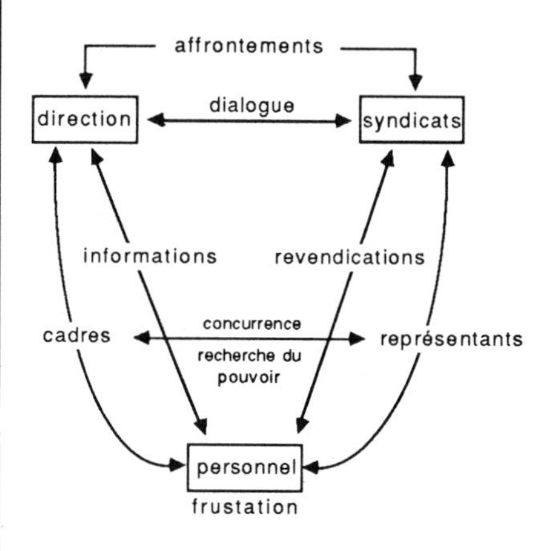

ENTRAÎNEZ-VOUS

1. **Faites le commentaire du schéma écrit ci-dessus.**
2. **Faites le commentaire oral du schéma graphique ci-contre.**

Le commentaire de schéma écrit

— Enumérer les caractéristiques de l'objet représenté lorsqu'on a choisi sa représentation écrite.
— Développer ce que représente le schéma écrit. Il ne peut se suffire à lui-même.
— Eviter de donner de longues listes de caractéristiques.
— Le commentaire oral peut être le prolongement d'un point inscrit sur le tableau.
— Le commentaire oral peut se conclure par un point inscrit sur le tableau.

Le commentaire du schéma dessiné

— Expliquer le rôle d'un objet représenté par un schéma dessiné.
— Ennumérer les parties constitutives d'un mécanisme.
— Expliquer les principes de fonctionnement, les étapes d'un raisonnement.
— Le commentaire oral peut être le développement d'un point inscrit au tableau.
— Le commentaire oral peut mener à un point représenté sur le schéma.

La réalisation d'un transparent

Le transparent est un film de plastique sur lequel on écrit. Ce film est posé sur un rétroprojecteur qui projette l'image sur un écran. C'est une aide visuelle efficace dans une communication orale avec un groupe.

▲ Caractéristiques

S'assurer de la présence et du bon fonctionnement de :

— l'écran sur lequel les documents seront projetés.

— du rétroprojecteur qui permet de projeter les documents ; on s'assure du bon état de la lentille de Fresnel (située sous la plage de travail), de l'ampoule et de l'objectif.

— le transparent, c'est un film plastique. Il se présente sous la forme de feuilles au format 21 × 29,7 cm ou en rouleau que l'on dévide sur le côté du rétroprojecteur. Le film peut être de différentes couleurs, mais le plus utilisé est le film transparent incolore.

— Les feutres spéciaux sont à encre soluble (lorsque le document est appelé à être modifié) ou permanente, de couleur et d'épaisseur variables. On s'assure que le stylo n'est pas sec.

▲ Mode de rédaction du transparent

— Rédaction directe.

Méthode : on écrit directement sur la feuille à l'aide des stylos spéciaux. Pour arriver à un résultat correct, on peut écrire le texte ou tracer le schéma sur une feuille de papier quadrillé. On calque ensuite sur le transparent. Pour éviter au film de bouger on attache les deux feuilles avec un trombonne ou du ruban adhésif.

Informations : l'agrandissement permis par le rétroprojecteur implique des contraintes pour ce qui concerne la taille des lettres en fonction de la distance de projection.

— lettres de 5 mm de haut pour une projection à 10 mètres,

— lettres de 10 mm de haut pour une projection à 15 mètres.

L'épaisseur des lettres conditionne aussi la lisibilité du document. Pour accroître le confort de lecture, on se limite à trois types de caractères. Les caractères romains (droits) se lisent plus facilement que les italiques (penchés).

— Rédaction indirecte.

Pour pratiquer ce type de rédaction un thermocopieur est nécessaire.

Le principe de la rédaction consiste à écrire le texte ou à tracer le schéma sur une feuille blanche avec une machine à écrire, un normographe, des lettres transfert, ... afin d'obtenir une bonne mise en page. Lorsque le texte est mis en page on en fait une photocopie. C'est cette photocopie qui avec le transparent constitue la liasse que l'on introduit dans le thermocopieur. On présente cette liasse, document à reproduire face écrite vers le haut, feuille de transparent superposée, devant la fente du thermocopieur. On obtient un transparent noir/incolore que l'on peut ensuite colorier si on le désire.

POINTS DE REPÈRE

L'encadrement

On utilise des cadres rigides en carton ou en plastique pour maintenir les feuilles de transparent et leur assurer une plus grande rigidité.
Le cadre facilite à la fois la manipulation du transparent sur la plage de travail du rétroprojecteur, et le classement du document dans les dossiers.
Pour encadrer un transparent on le centre sur le cadre puis on colle les quatre côtés. On inscrit sur l'un des côtés le titre du document afin d'en faciliter le classement et la recherche.

La réalisation des superpositions

L'un des intérêts de la rétroprojection c'est qu'elle permet de présenter de façon dynamique un mécanisme ou un schéma.
On projette d'abord le cadre général puis la succession chronologique des transformations au moyen de feuilles de transparents qui viennent se superposer.

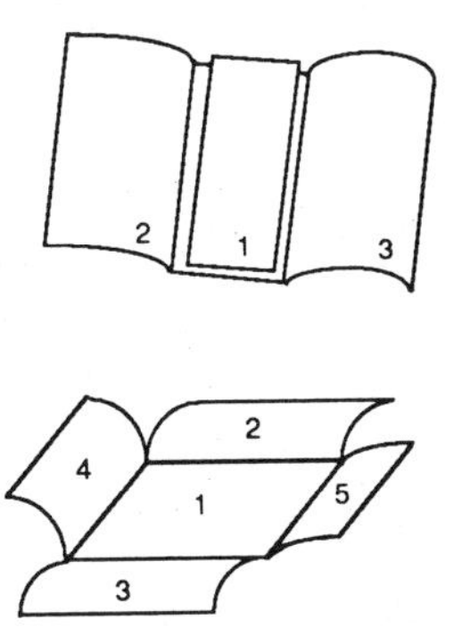

Des emplois particuliers

Le dévoilement progressif : on présente une succession d'images ou de schémas qui vont du plan général au détail particulier.
C'est un moyen pertinent pour situer un mécanisme dans un ensemble.

L'utilisation des caches : on présente un aspect de la situation sur la partie gauche du transparent. La partie droite est rendue opaque par une feuille de papier placée sous le transparent. On découvre la partie droite en retirant la feuille. Cette partie peut présenter la même situation à un autre moment, ou une modification de la première situation.

L'introduction d'informations en cours de présentation : on complète progressivement le schéma initial en écrivant directement sur le transparent ou en rabattant d'autres transparents.

Principe de fonctionnement

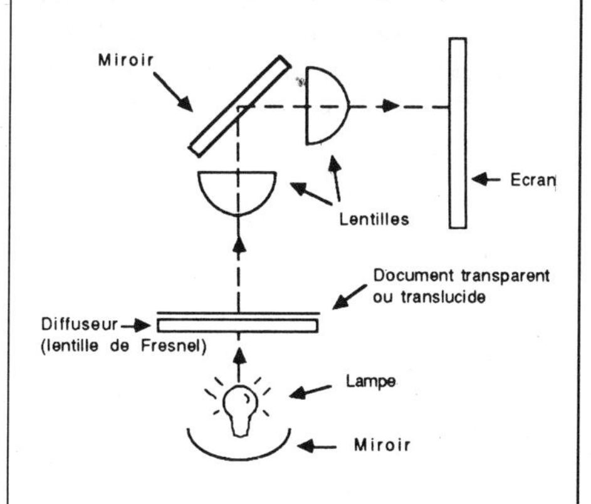

L'utilisation de l'image

Lors d'un exposé on utilise l'image pour centrer l'intérêt de l'auditoire sur un point précis. Par l'image on fait aussi l'économie d'une longue description. On distingue trois utilisations de l'image : la présentation, l'illustration et la visualisation.

▲ La présentation

— Il s'agit seulement de faire voir un objet déjà présent devant l'auditoire, mais qu'un grand groupe aurait du mal à voir. L'intérêt est de permettre une vision agrandie de détails difficiles à saisir sur l'objet lui-même, d'autoriser une présentation du mouvement dans le cas d'un mécanisme.
— Exemples d'emploi : montrer un mécanisme; en science : germination d'une graine, ...
— Matériel possible : le rétroprojecteur : il projette une image agrandie des objets placés sur la plage de travail. Le film court permet de montrer en vitesse réelle ou au ralenti le mouvement d'un système.

▲ L'illustration

— Il s'agit d'apporter devant un auditoire un objet absent du lieu de la présentation par l'intermédiaire de son image dessinée ou photographique.
L'illustration a une fonction pédagogique. Elle fait l'économie de longues et fastidieuses descriptions. Elle rend plus concret le discours en lui donnant un caractère expérimental. Elle supprime l'impression de frustration de l'auditoire; l'objet est visible directement.
— Exemples d'utilisation : on l'utilise par exemple pour présenter une nouvelle machine industrielle qui ne peut être apportée sur les lieux; pour montrer des paysages lors d'une conférence géographique;...
— Matériels possibles : le projecteur de diapositives : il projette des images fixes autour desquelles s'organise le commentaire.
Le projecteur 8 ou 16 mm : des films courts peuvent venir appuyer un commentaire ou le justifier.
Le magnétoscope : il a la même fonction que le projecteur mais nécessite l'emploi de plusieurs téléviseurs dans le cas d'un grand groupe.

▲ La visualisation

— Il s'agit de proposer une interprétation graphique d'un concept ou d'une chaîne de concepts.
Le recours à une représentation graphique (organigramme, schéma de montage,...) permet des raccourcis explicatifs très efficaces.
La visualisation permet une saisie globale, synthétique du processus présenté et facilite la compréhension des explications détaillées par la suite.
— Exemples d'emploi : graphiques statistiques, cartes géographiques, organigramme de fonctionnement d'un service,...
— Matériels possibles : le rétroprojecteur : il offre la possibilité de construire progressivement, par superpositions, un schéma complexe.

POINTS DE REPÈRE

Check liste des contrôles à effectuer avant l'utilisation du matériel de projection

1. écran en état de fonctionnement

2. appareil de projection en état de marche

3. volets ou rideaux aux fenêtres

4. prise de courant dans la salle

5. rallonge de fil électrique

6. prise multiple disponible

7. présence et fonctionnement du micro

8. fonctionnement de l'amplificateur et des enceintes

9. ordre des diapositives dans le panier

10. bobine de film correctement enroulée

11. bande magnétique stoppée au bon endroit

12. disposition des places assises

13. distance des dernières places à l'écran.

Caractéristiques d'une bonne utilisation des supports visuels

— Confort : les dessins et les textes doivent être lisibles de loin, sans effort pour les spectateurs des derniers rangs. Les textes doivent être écrits en gros caractères romains dans une couleur qui contraste avec celle du fond.

— Simplicité : les images doivent être suffisamment dépouillées pour que l'œil ne s'égare pas dans des détails accessoires. Les textes n'utilisent pas plus de trois types de caractères simples, ni plus de deux ou trois couleurs.

— Concision : le nombre d'images ou la longueur de film sont d'autant plus percutants qu'ils prennent peu de place dans l'exposé. Par le même principe, on emploie plutôt des mots clés que de longues phrases.

— Clarté : les images fixes ou le film doivent être les plus univoques possibles de manière à ce que soit lisible le seul point que l'on veut présenter. La présentation d'un schéma doit laisser une grande place aux blancs. Par ailleurs, on organise la lecture du document à l'aide des titres et des sous-titres.

ENTRAÎNEZ-VOUS

1. Vous devez présenter, dans un exposé, un projet d'informatisation de votre service.
Quel type d'utilisation de l'image allez-vous employer ?
Quel matériel allez-vous utiliser ?

2. Vous allez présenter devant des collègues une machine que vous avez découverte lors d'une visite.
Quel type d'utilisation de l'image allez-vous employer ?
Quel matériel allez-vous choisir ?

L'image en réunion

On utilise l'image dans un exposé à des moments particuliers et dans un but précis. Selon le moment, la fonction de l'image diffère. On distingue l'image pour sensibiliser, l'image pour enseigner et l'image pour améliorer.

▲ L'image pour sensibiliser

— Définition : la sensibilisation consiste à montrer l'importance d'une chose à une personne qui ignore son existence. L'image de sensibilisation est le détonateur qui déclenche des réactions en chaîne chez le spectateur. On l'emploie au début d'un exposé.
— Caractéristiques : montrer une situation réelle et familière, très concrète.
Présenter de manière claire et précise les éléments essentiels de la situation.
N'offrir aucune explication ni interprétation mais seulement une situation.
Faire réagir l'auditoire en sollicitant l'imagination en vue d'une réaction immédiate.
— Durée : l'image de sensibilisation n'excède pas une dizaine de minutes. Il s'agit simplement d'ancrer dans l'esprit de l'auditoire l'intérêt du sujet.

▲ L'image pour enseigner

— Définition : les images d'apport de connaissances présentent une information particulière, historique, géographique, scientifique ou technique. Elles visent le savoir, l'acquisition de connaissances fondamentales.
— Caractéristiques : partir des acquis de l'auditoire ; on les présente sous un angle original pour ensuite les dépasser.
Viser un objectif précis : les images se concentrent sur une seule information.
Se dérouler sur un rythme assez lent. L'auditoire doit réfléchir, comprendre, mémoriser.
Répéter sous des formes différentes la même information.
Alterner apport d'informations et applications.
— Durée : l'image d'apport de connaissances n'occupe pas plus d'une trentaine de minutes par séquence. On scinde une séquence en unités plus courtes, de cinq à dix minutes. Les séquences sont liées par le commentaire du conférencier.

▲ L'image pour améliorer

— Définition : il s'agit de films qui servent d'exemples. Ils sont utilisés comme illustrations d'une explication. Ils vont servir d'éléments de comparaison, de modèles. Ils montrent comment on manipule un outil, une machine,...
— Caractéristiques : présenter l'action en vitesse réelle et au ralenti.
Faire des gros plans sur des manipulations très précises.
Présenter des angles de prise de vue extrêmement variés.
Montrer la préparation du poste de travail, du matériel.
Indiquer les difficultés principales, les moments forts de la réalisation.
— Durée : l'image modèle se déroule par séquences de cinq à dix minutes, selon la difficulté de l'opération présentée. Elle est entrecoupée de phases d'exécution lorsque le groupe est peu nombreux.

EXPLOITATION DE L'IMAGE EN RÉUNION

L'image pour sensibiliser

— Matériels : diapositive : peu coûteux mais manque de vie. La salle est obscure.
Diaporama sonorisé : peu coûteux.
Film : occupe peu de temps à la projection. La salle est obscure.
Bande vidéo : coûteuse à projeter (magnétoscope + TV). La salle est éclairée.

— Exploitation : on peut débuter un exposé historique, scientifique, technique, économique par une image de sensibilisation.

Après la projection des images :

• demander une reformulation de ce qui a été vu pour vérifier que le sens a été perçu.

• faire dégager ou dégager le problème évoqué par l'image

• évoquer l'étendue de la question et ses rapports avec les préoccupations de l'auditoire.

L'image pour enseigner

— Matériels : film : il permet le ralenti, le rapprochement dans l'espace ou dans le temps, par exemple la métamorphose d'une larve en insecte prend cinq secondes au cinéma et plusieurs heures en réalité.

Bande vidéo : elle présente les mêmes avantages que le film avec en plus la possibilité de prendre des notes pendant la projection.

— Exploitation : l'image apport de connaissances est pratiquement sans limite de thèmes.

Une séquence peut être fractionnée pour permettre la discussion ou un complément d'information.

Chaque séquence apporte une information que l'on fait dégager à l'auditoire.

Appliquer cette nouvelle connaissance dans des exercices pratiques de difficulté croissante.

Contrôler la compréhension et l'acquisition de ce qui a été apporté par l'image.

L'image pour améliorer

— Matériel : film et bande vidéo.

— Exploitation : apprentissage du geste efficace.
Amélioration de gestes professionnels.
Acquisition de gestes de sécurité.
Etude de comportements.

Modalités : le modèle peut servir à l'entraînement de personnes en apprentissage qui répètent ce qui est présenté à l'image.
Le modèle peut servir à l'analyse, à la recherche des difficultés et des moments forts de l'exécution.
Le modèle peut servir de comparaison avec la pratique de membres de l'auditoire. On dégage les similitudes, les différences, les améliorations possibles.

Les appuis sonores de la parole

Pour illustrer un exposé, pour parler devant une foule, pour enregistrer un débat on peut être amené à utiliser les appuis sonores de la parole que sont les microphones et magnétophones.

▲ Le microphone

— Le microphone transmet les vibrations produites par les sons. L'amplificateur reçoit et augmente ces vibrations puis les transmet jusqu'aux hauts parleurs qui restituent les sons.

— Mode d'utilisation
Parler face au micro pour éviter une déformation de la voix, le micro doit être à environ 15 cm de la bouche.
Parler normalement, comme pour quelqu'un qui se tiendrait à côté de soi. C'est l'amplificateur qui augmente le volume du son.
Avant la réunion, faire des essais pour régler le volume et s'habituer au son de la voix dans une salle de réunion.
Lorsque la voix est retransmise par de nombreux hauts-parleurs, ralentir le débit pour tenir compte du phénomène d'écho.
Eviter de s'agiter lorsque l'on est assis, de tourner et retourner ses notes ou de tapoter sur la table avec les doigts.

— Parler au micro
Adopter le ton de la conversation. L'auditoire est habitué à ce type de discours par la radio et la télévision. Les déclamations emphatiques n'ont plus cours.
Produire une bonne impression pour faire passer le message. Donner l'impression d'un orateur sincère, laisser le public découvrir l'homme derrière l'orateur.
Faire court, renoncer à tout dire. Un bon message au micro doit être court, clair, simple.

▲ Le magnétophone

— La bande magnétique qui défile devant la tête d'enregistrement reçoit les vibrations qui lui sont transmises depuis le micro. Lors de la lecture, ces variations de champ magnétique sont détectées par la tête d'écoute, transmises à l'amplificateur, et reproduites par le haut parleur.

— Utilisation du magnétophone
En autoformation à l'oral : on enregistre ses discours pour ensuite les analyser et les améliorer.
En enregistrement de débat, pour ne rien omettre lors de la rédaction du compte rendu.
En lecture dans une phase de sensibilisation d'un groupe, en apport de connaissance, ou comme modèle.

LES MICROPHONES

Le micro unidirectionnel

Il ne reçoit les sons que dans une seule direction. On parle, la bouche juste devant le micro, les bruits périphériques ne sont pas transmis.

Le micro omnidirectionnel

Il est sensible à tous les sons, d'où qu'ils viennent.

Le micro sur pied

Un pied téléscopique supporte le micro. On se tient généralement debout derrière ce micro. Qu'il soit posé sur une estrade ou sur un bureau, sa place est fixe. On ne peut s'en éloigner.

Le micro à main

Il est relié à l'amplificateur par un cable. On peut se déplacer avec ce micro. Une main tient le micro et souvent l'autre maintient le cable pour éviter les parasites dus au branchement. En général ce micro est tenu très près des lèvres.

Le micro cravate

C'est un petit micro à pince qui se fixe sur la cravate, le revers du veston ou sur la robe. Les deux mains sont libres. Il est essentiellement utilisé dans les studios d'enregistrement.

Le micro émetteur

C'est un microphone plus gros que les autres. Un émetteur dans le corps du micro transmet les vibrations à un récepteur de l'amplificateur. Il procure une grande liberté de mouvement.

La protection des enregistrements précieux

Il peut arriver qu'un enregistrement important soit effacé accidentellement lorsqu'on enfonce par mégarde la touche d'enregistrement. Pour éviter ce genre de mésaventure, on brise la languette en plastique du côté que l'on désire protéger.

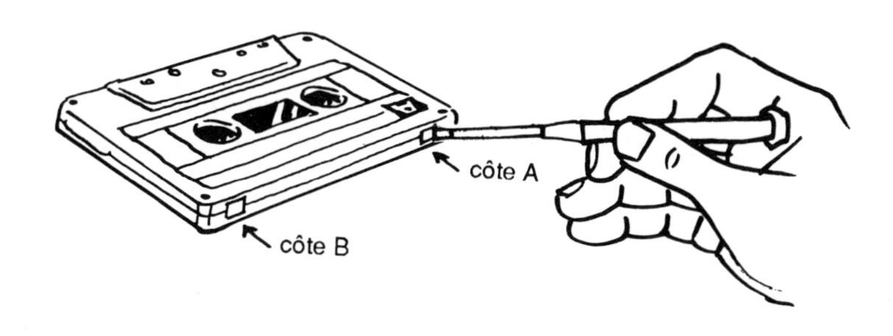

Se réunir à distance

La réunion téléphone et l'audioconférence sont des moyens utilisés pour annuler l'espace, raccourcir le temps. Ils permettent de mieux comprendre et de mieux convaincre des interlocuteurs avec un minimum de déplacements.

▲ Définition

La réunion téléphone

La réunion téléphone permet d'établir un dialogue immédiat entre 3, 4, et jusqu'à 20 interlocuteurs situés en France et à l'étranger.

Un poste téléphonique suffit pour rejoindre la réunion, que ce soit depuis son bureau, sa voiture ou une cabine téléphonique.

L'audioconférence

L'audioconférence permet, à partir de studios spécialement équipés, la réunion de trois ou quatre groupes éloignés. Les participants peuvent se parler librement et se reconnaître à distance.

L'audioconférence est, pour l'instant, utilisée dans les grandes entreprises.

▲ Avant la réunion

La réunion téléphone

Réserver la réunion en appelant l'agence commerciale des télécommunications ou le numéro vert 05 30 03 00.

Indiquer le nombre de participants et la durée de la réunion. La réservation doit se faire au minimum deux heures avant le début de la réunion.

Communiquer le numéro de tél. confidentiel, qui est attribué aux participants, l'heure prévue de la réunion, son objectif.

L'audioconférence

Réserver un studio dans le télécentre le plus proche.

Convenir avec les autres équipes et l'hôtesse du jour et de l'heure choisis.

Communiquer aux équipes l'ordre du jour, la liste des intervenants.

Préparer ses interventions.

Prévoir les schémas, dessins, photos, dont on veut transmettre l'image.

▲ Le déroulement de la réunion

La réunion téléphone

Au jour et à l'heure prévus chaque participant entre en réunion en composant le numéro confidentiel. Au début d'une série de réunions, on fait un tour des postes téléphoniques pour l'identification des voix.

Les interventions sont brèves et construites. On parle à partir de ses notes.

Cinq minutes avant la fin de la réunion, un signal sonore indique que l'heure de la conclusion est proche.

L'audioconférence

Chaque groupe s'installe dans son studio. Bien qu'ils ne se voient pas, les participants peuvent se reconnaître grâce à un système de voyants lumineux.

Les propos peuvent être illustrés de schémas et graphiques par téléécriture.

Un télécopieur permet également de transmettre les photos ou documents écrits.

LE STUDIO D'AUDIOCONFÉRENCE

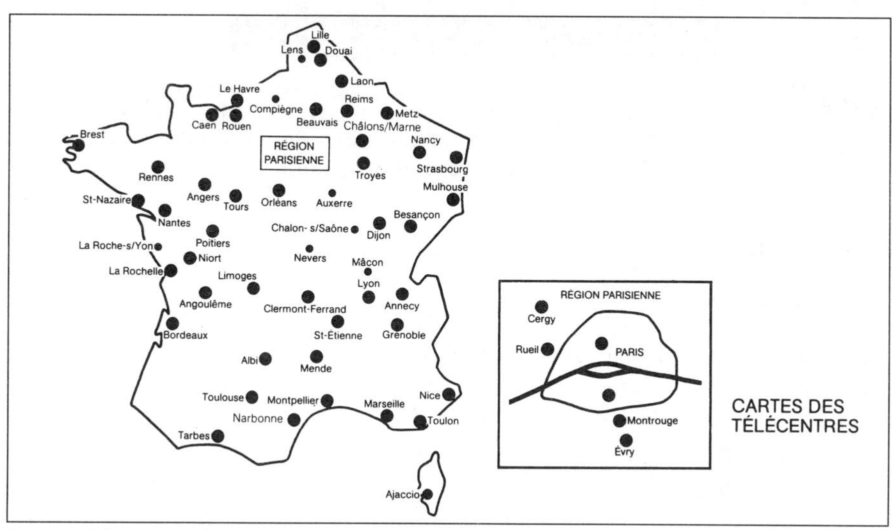

CARTES DES TÉLÉCENTRES

Caractéristiques d'un studio d'audioconférence

— Un studio d'audioconférence est traité accoustiquement contre l'« effet Larsen ».

— Il comporte :

• une table hexagonale équipée : de microphones, d'un dispositif d'identification (un par place; il s'agit de voyants lumineux qui permettent de savoir quel interlocuteur parle.),

• d'un haut-parleur central. Il permet à tous les interlocuteurs de parler simultanément et d'être entendus de tous,

• d'une tablette électronique et d'un stylo optique pour dessiner,

• d'un écran TV sur lequel les schémas tracés à l'aide du stylo optique viennent s'afficher,

• d'un télécopieur qui permet de diffuser et de recevoir des dessins ou des photos,

• d'un poste téléphonique qui permet à un correspondant absent du studio de participer à l'échange,

• d'un coffret d'audioconférence qui relie le studio au réseau Caducée qui joint les télécentres.

Les studios d'audioconférence en France

— Les Télécommunications mettent à la disposition du public un réseau de studios d'audioconférence implantés dans les principales villes de France. Ces studios, appelés « télécentres » sont accessibles à tous, par simple réservation.
Les télécentres sont généralement installés dans des agences commerciales des Télécommunications, des Téléboutiques, ou encore dans des locaux des Chambres de Commerce et d'Industrie.

— Des studios privés sont proposés aux clients de France Câbles et Radio, en location-cntrctien. Ceux-ci, installés dans les locaux de l'entreprise, et réservés à son usage exclusif, sont disponibles à tout moment pour leurs utilisateurs.

Visioconférence et vidéotransmission

Se réunir à distance, se voir et s'entendre tels sont les avantages offerts par les nouvelles techniques de communication que sont la visioconférence et la vidéotransmission.

▲ Définition

La visioconférence
Permet d'effectuer des liaisons image et son entre deux studios éloignés. Les studios communiquent par l'intermédiaire d'écrans TV couleur et aussi par téléécriture, télécopie et par des dispositifs de transmission de données informatiques. Elle relie des groupes de quatre personnes.

La vidéotransmission
Consiste à transmettre à distance et à projeter sur un grand écran les images filmées en direct par des caméras de télévision, situées au point d'émission. Le public (plusieurs centaines ou milliers de personnes) peut intervenir en direct pour dialoguer avec le conférencier.

▲ Utilisation

La visioconférence
La visioconférence est utilisée par de grosses entreprises ou des collectivités locales pour établir avec des groupes géographiquement éloignés des relations de travail, réfléchir sur des problèmes spécifiques à l'entreprise.

La vidéotransmission
C'est par vidéotransmission qu'on été diffusées à Wembley et à Philadelphie les images du concert pour l'Ethiopie (1986).

▲ Organisation

La visioconférence
—Les participants s'installent dans leurs studios respectifs. Chaque studio comporte quatre postes dotés d'une caméra de prise de vue, d'un récepteur d'images, d'un microphone et d'un haut parleur.
— Quand une personne prend la parole, elle est détectée par son micro, et son image se trouve automatiquement visualisée sur les écrans, tandis que son écran conserve l'image de l'intervenant précédent.

La vidéotransmission
—Lorsque les participants sont installés dans la salle, l'image du conférencier est projetée par vidéoprojecteur sur un grand écran.
—Le conférencier peut commenter des images de toute nature. Elles sont diffusées au moyen d'une caméra verticale présente dans le studio d'enregistrement.
— Les participants peuvent dialoguer avec le conférencier au moyen de micros et de caméras mobiles dans la salle de réception.

POINTS DE REPÈRE

Plan d'une salle de visioconférence

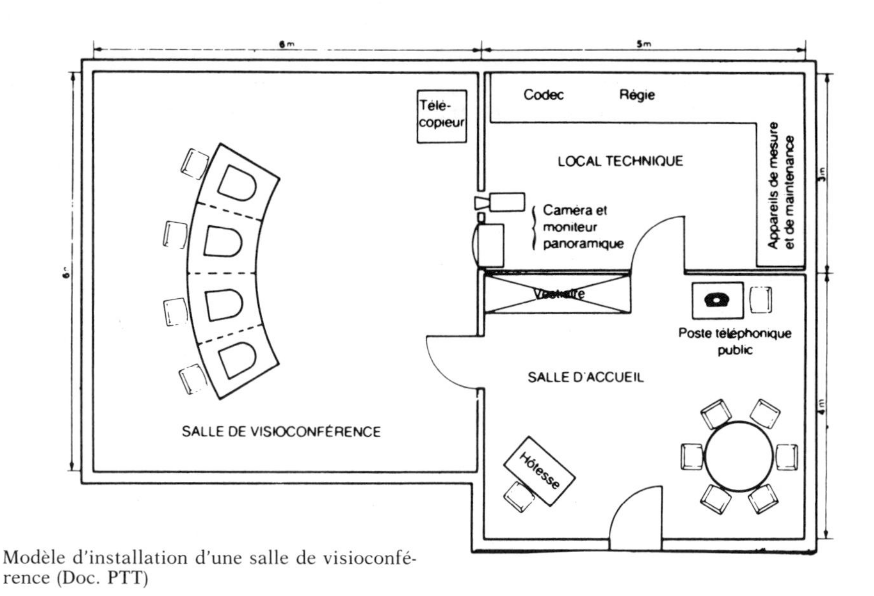

Modèle d'installation d'une salle de visioconférence (Doc. PTT)

Schéma de fonctionnement d'une vidéotransmission

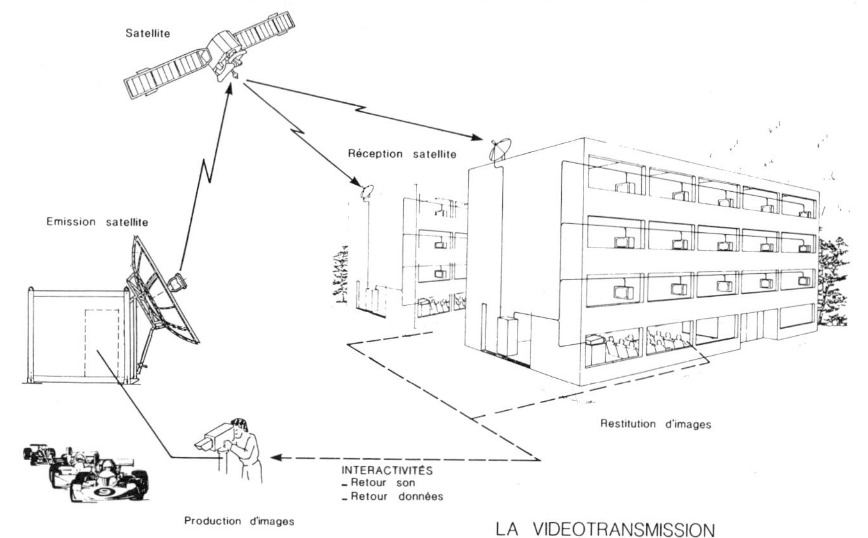

La Vidéotransmission (Doc. France Câbles et Radio)

Améliorer la mémoire

La mémoire joue un rôle social important. Elle signifie prendre sa place au sein d'un groupe. La mémoire est un système dont les performances peuvent s'améliorer. Il faut pour cela mettre en œuvre une conduite d'ensemble qui se déroule en trois temps : savoir se poser des questions, avoir un comportement actif d'apprentissage, réutiliser, réactiver ses connaissances.

▲ Que faire pour retenir ?

— Se formuler à soi-même un certain nombre de questions.
Les questions classiques, posées dans un ordre rigoureux, permettent de cerner tout problème : avec le « quoi » on détermine l'objet, le but, avec « qui », les acteurs, « où » localise, « par quels moyens » permet de trouver les voies pour agir, « pourquoi » le fondement des actions, « comment » éclaire les circonstances et « quand » découpe le temps.

— En plus des sept questions ci-dessus, voici d'autres questions que l'on peut se poser :
De quoi s'agit-il ?
Qu'est-ce que je sais déjà ?
D'où viennent mes informations ?
A quoi cela va-t-il me servir ?
Que faut-il chercher en priorité ?
Suis-je seul à être concerné ?
Qui sont les autres personnes impliquées ?
Quel est mon rôle ?
Quel est le leur ?
Quels sont les risques ?
De combien de temps puis-je disposer ?

▲ Que faire pour apprendre ?

— Apprendre par l'expérience, en agissant : personne n'a appris à nager en se contentant de lire la méthode dans un ouvrage. Ce qu'on apprend avec les gestes se retient vite et mieux.

— Apprendre par le classement, en organisant : lorsqu'une personne compare, classe, définit elle mobilise ce qu'elle sait déjà pour y associer ce qu'elle désire acquérir en plus. La mémoire n'enregistre pas une sorte de copie conforme,elle « engrange » des informations organisées.

— Apprendre par le langage, en reformulant : utiliser son propre langage pour traduire ce que l'on souhaite retenir est un excellent moyen. La prise de notes est aussi très efficace.

▲ Que faire pour réactiver ses connaissances ?

— Il faut multiplier les situations où l'on est amené à revoir sous une autre forme ce qu'on a déjà appris. Imaginons que deux personnes aient fait le même voyage. De retour dans leur pays d'origine, la première s'empresse de lire des romans, de voir des films qui se passent dans le pays visité. L'autre ne fait rien de tout cela. Les noms des villes et des villages, ceux des personnes rencontrées, les détails du voyage ne seront conservés durablement que dans la mémoire de la première personne.

— Pour renforcer ses connaissances il est donc nécessaire d'adopter un certain type de comportement qui s'apparente à ceux-ci :

• celui du collectionneur : prenons l'exemple d'un passionné de peinture, il visite des expositions, lit, compare, nuance, précise et retient.

• celui du curieux qui ne manque pas une occasion d'en savoir plus.

ENTRAÎNEZ-VOUS

Les exercices suivants ont pour but de faire comprendre le mécanisme de la mémoire.

1. Lisez les mots ci-dessous. Cachez la feuille. Notez après cette unique lecture le plus grand nombre de mots dont vous vous souvenez.

poulet noisette limonade
casquette calvados vin
eau épinard
sirop écharpe pêche
canard poireau
chaussette champagne
bottes lait saumon
pastis chemise camomille
chausson pull
beurre thé orange
short collants
brioche jupe

Combien de mots avez-vous retenus ? Notez-le.

2. Lisez une fois les mots. Cachez-les et notez ceux qui vous sont restés à l'esprit.

Loisirs	**Aliments**	**Métiers**
canoe	glace	architecte
escalade	poire	pharmacien
jardinage	salade	romancier
voile	olive	électricien
bricolage	camembert	ingénieur
course	moutarde	couturier
pêche	cornichon	avocat
tricot	sardine	dentiste
ski		peintre
randonnée		plombier
		garagiste
		boulanger

Combien de mots avez-vous retenus ? Notez-le.

3. Classez par écrit les mots suivants selon leur catégorie (domaines du bricolage, de la nature, du sport).
Retournez la feuille et réécrivez le maximum de mots.

tapisserie peuplier colle
ballon pelle tir
hortensia tournevis jonquille
tennis scie
pinceau étang tribune
échelle vent
piscine forêt filet clou
champignon perceuse arbitre
jonc hêtre tenaille
soleil sifflet
marteau rabot

Combien de mots avez-vous retenus ? Notez-le.

Analyse

Comparez vos scores dans les 3 exercices. Le meilleur score s'obtient logiquement dans l'exercice n° 3.
Comment l'expliquer ?
On pourrait penser que la clarté de la présentation joue un rôle. Les mots de l'exercice 2 sont présentés plus rationnellement que ceux de l'exercice 1 puisqu'ils sont écrits en 3 colonnes. Or la performance réalisée dans l'exercice 2 n'est pas nettement supérieure à la performance réalisée lors de l'exercice 1. De plus les mots de l'exercice 3, le mieux réussi, sont présentés en désordre.
On pourrait également supposer que la clarté du message est importante. Or dans l'exercice 2, il y a une logique : les mots classés par thème, cette logique est absente de l'exercice 1 et pourtant les scores sont à peu près identiques. Plus que la clarté de la présentation et celle du message, ce qui compte, c'est l'action de celui qui veut retenir quelque chose. Plus la personne est impliquée, plus elle est active, plus elle retiendra. Dans les exercices 1 et 2 il suffit de lire alors que dans le troisième exercice, il faut classer, c'est-à-dire agir sur l'information. Et l'organisation est la base du fonctionnement de la mémoire.

Donner des ordres

Dans une relation de supérieur hiérarchique à subordonné, c'est le type du problème qui détermine le style de la décision. On distingue trois grands styles de décision : l'ordre, le consensus et la consultation.

▲ L'ordre

— La raison technique de la décision qui doit être prise a plus d'importance que la manière dont elle sera reçue par le subordonné.
— Le supérieur hiérarchique prend seul la décision en s'aidant de toutes les informations dont il dispose.
Exemple : lors de l'atterrissage d'un avion, le commandant de bord donne des ordres directs au co-pilote et au mécanicien.
Explication : devant l'urgence de la situation, des vies dépendent de la réaction, le supérieur hiérarchique n'a pas à se soucier de la façon dont l'ordre sera reçu. Ce qui compte c'est que cet ordre soit immédiatement exécuté.

▲ Le consensus

— La manière dont la décision sera ressentie a plus d'importance que la raison technique qui la motive.
— Après des échanges réciproques d'informations et de propositions, on procède à une délibération. La décision est prise conjointement par le supérieur hiérarchique et ses subordonnés.
Exemple : On souhaite réorganiser l'aménagement d'un bureau pour accroître sa rationnalité. Le chef de service demande aux secrétaires leur avis sur ce nouvel aménagement. Les propositions sont analysées conjointement avant la décision.
Explication : dans ce type de situation, ce qui compte surtout c'est la prise en considération des interlocuteurs, des usages. Ils ont leur avis sur la question. Cet avis est le résultat d'une confrontation quotidienne aux problèmes.

▲ La consultation

— La raison technique qui motive la décision et la manière dont elle sera ressentie par les subordonnés sont aussi importantes l'une que l'autre.
— Le supérieur hiérarchique prend la décision seul, mais après avoir demandé l'opinion de l'ensemble de ses subordonnés.
Exemple : une société de vente veut accroître son efficacité commerciale. Il faut modifier les secteurs géographiques des représentants. On réunit ceux-ci pour les informer de la situation et leur demander leur analyse et les solutions qu'ils proposent. Le directeur commercial leur communique ultérieurement les nouveaux secteurs géographiques.
Explication : dans ce type de situation, il faut, pour que les subordonnés soient motivés positivement, qu'ils aient le sentiment que la décision prend en compte leurs commentaires. Si tel n'est pas le cas, il est possible que le résultat escompté ne soit pas atteint à cause de la passivité des subordonnés qui ne se sentent pas pris en considération.

POINTS DE REPÈRE

Pour qu'un ordre soit exécuté

Pour commander efficacement il faut tenir compte de quatre variables :

— Le niveau de l'individu.
Les variables individuelles interviennent dans l'obéissance ou la désobéissance à un ordre. Toutefois leur influence n'est pas aussi importante qu'on le croit. En fait les individus obéissent la plupart du temps, quelque soit leur état d'esprit.

— Le niveau du groupe.
L'image que le groupe a de celui qui donne l'ordre conditionne l'obéissance ou la désobéissance de l'individu.

— Le niveau de l'organisation.
Les règles de fonctionnement, les habitudes qui régissent l'entreprise influencent les réactions de l'individu à l'ordre qu'il reçoit.

— Le niveau de l'environnement social.
La manière dont le subordonné a vécu et a été habitué à l'autorité dans son enfance va influencer ses relations à l'autorité.

La relation d'autorité

— Deux personnes face à face.
Elles jouent alternativement les rôles de supérieur hiérarchique et de subordonné. De la même manière, dans la vie professionnelle, on assure aussi alternativement ces deux rôles.

— Les malentendus.
Il faut que le subordonné comprenne exactement ce qu'on attend de lui pour donner satisfaction. Or, souvent les ordres ne sont compréhensibles que par ceux qui les donnent.

— L'obéissance stratégique.
Obéir, pour tout subordonné, est un comportement stratégique. Lorsque les avantages de l'obéissance l'emportent sur les avantages de la désobéissance, l'obéissance devient le comportement le plus rationnel. Lorsque les avantages de la désobéissance l'emportent sur les avantages de l'obéissance, le comportement rationnel consiste à désobéir.

Les styles de commandement.

Autocratie

1. La situation permet au chef de prendre une décision que les subordonnés ne peuvent qu'accepter.

2. Le chef doit négocier sa décision avant d'obtenir le consentement.

3. Le chef expose sa décision, mais il doit la justifier en répondant aux questions des subordonnés.

4. Le chef présente une décision qui peut être modifiée après les discussions des subordonnés.

5. Le chef pose le problème, recueille l'avis de ses subordonnés puis décide.

6. Le chef pose les limites à l'intérieur desquelles les subordonnés prennent les décisions.

7. Chef et subordonnés prennent conjointement les décisions dans les limites autorisées par les contraintes de l'entreprise.

Démocratie

La respiration

La capacité des poumons est de 5 000 cm³ et l'utilisation régulière est de 3 500 cm³. Ces 3 500 cm³ se composent de 1 500 cm³ d'air résiduel qui reste dans les poumons après une expiration forcée, 1 500 cm³ d'air de réserve qu'on expulse par une expiration forcée, 500 cm³ d'air constant qui circule sans qu'on y fasse attention. L'air complémentaire : 1 500 cm³, c'est celui qui est inspiré par inspiration forcée.

▲ La respiration abdominale

— L'aisance de l'orateur est possible à partir du moment où l'air résiduel et l'air de réserve ne sont pas entamés. Pour parler en public sans essoufflement, il est donc nécessaire de faire appel à la capacité maximale des poumons. Par la respiration abdominale puis intercostale, on parvient à une meilleure utilisation de la capacité respiratoire.

▲ La respiration thoracique

— Pour parler et bien se relaxer, la respiration est abdominale, ventrale. La respiration thoracique, intercostale est également utile, elle permet de ventiler l'ensemble des poumons. Il faut cependant qu'elle soit pratiquée dans de bonnes conditions :
- éviter de crisper les épaules, les laisser souples et décontractées,
- vider le plus complètement possible les poumons au moment de l'expiration.

▲ Le rythme personnel

— Chacun a un rythme respiratoire, il peut varier de six à vingt fois par minute. Pour que les exercices soient efficaces, il faut connaître son rythme. Voici comment faire :
- s'allonger au sol et se détendre;
- placer les mains sur le ventre et laisser s'installer la respiration abdominale;
- trouver son rythme en suivant le soulèvement des mains à chaque respiration.

— C'est ce rythme qu'il faut retrouver lors d'une intervention orale en public.

▲ Exercice pour gérer son souffle

— Gérer son souffle signifie pouvoir contrôler les temps d'expiration et les faire varier en fonction de la longueur des ensembles de mots à prononcer.

— Voici quatre vers de Britannicus de Racine. Lisez-les en répartissant les respirations comme vous les sentez.
Burrhus
Madame,
Au nom de l'Empereur j'allais vous informer
D'un ordre qui d'abord a pu vous alarmer,
Mais qui n'est que l'effet d'une sage conduite
Dont César a voulu que vous soyez instruite.

EXEMPLE D'ALLOCUTION

Monsieur le Président, Monsieur le Directeur, Mesdames, Messieurs, mon cher R,

C'est avec joie bien sûr que j'ai accepté d'apporter en cette fin d'après-midi de juin, le témoignage de Directeur adjoint. Car c'est ainsi, quand l'un des nôtres est promu, c'est l'ensemble de son équipe qui est distingué.

Tous les collaborateurs aimeraient être à ma place en ce moment pour vous féliciter publiquement de la promotion que vous venez d'obtenir.

Je vais essayer d'être bref et surtout de m'acquitter au mieux de cette tâche. Cela ne sera pas si facile, chacun le comprendra car nombreux sont ici présents qui connaissent les liens d'amitié qui nous unissent.

C'est donc à l'ami autant qu'au collègue que je m'adresse. R..., je voudrais que vous vous souveniez, c'était en 1974, nous étions jeunes : vous étiez à la tête de l'unité B et moi je m'installais à Clermont après un séjour de quatre ans à Tours et nous étions tous les deux dans le district 4. C'est là que nous avons appris à nous connaître, c'est là que j'ai appris à vous apprécier. Tout était fait pour nous mettre en concurrence. Et le résultat c'est que nous sommes devenus de grands amis et que depuis nous avons toujours travaillé en totale confiance. En cela je pense que c'est presque à sens unique un remerciement que j'ai à vous faire car vous aviez les moyens de travailler seul. Et c'est un premier hommage que je tenais à vous rendre.

Je ne serai pas très long car j'ai entendu qu'il y aurait beaucoup d'intervenants. Je voudrais vous dire aussi, R... que ce que les collaborateurs apprécient en vous, c'est votre engagement resté intact au bout de tant d'années et animé de cet extraordinaire dynamisme. Je reconnais en vous un homme toujours disponible avec, je dirais un tempérament qui m'amène à l'observer toujours égal à lui-même. On dirait que les événements importants n'ont pas de prise sur vous, même si intérieurement, comme tout un chacun, vous devez ressentir violemment les événements. Vous savez garder une certaine distance et c'est une une grande qualité.

Tout cela fait que j'ai une grande émotion de représenter ici nos collaborateurs. Tous sont à mes côtés pour vous féliciter et souhaiter que votre carrière continue brillamment.

La salle de conférence

Plusieurs principes guident la construction d'une salle de conférence. Ils concourent à favoriser une bonne communication. Le projet ci-dessous prévoit une salle de cent participants et d'une cinquantaine de places réservées aux journalistes et aux observateurs.

▲ La vision

— Le conférencier (1) voit tout l'auditoire.
— Chaque participant voit le conférencier.
— Les participants voient l'écran de projection (2).
— La cabine de projection (3) est équipée en vidéo-projection, magnétoscope, cinéma 16 mm et projection de diapositives.

▲ L'écoute

Il existe deux systèmes :
la salle à accoustique naturelle, c'est l'amphithéâtre. L'amphi est forcément une salle aux dimensions réduites et figées pour que le son ne se perde pas;
la salle à accoustique amplifiée permet une plus grande liberté. La salle du projet ci-contre a un grand volume et peu de surface.
C'est le choix des matériaux, les absorbants muraux, les réfléchissants qui permet de calculer un temps de réverbération sonore correct et donner une bonne ambiance sonore.

▲ La communication

Il y a plusieurs systèmes de communication :
— les échanges directs se font au micro (4). Les participants bénéficient d'un pupitre (5) équipé d'un clavier : chacun a une place numérotée. Ils peuvent donc s'adresser nominativement les uns aux autres;
— la traduction simultanée s'opère dans des cabines de traduction (6) (7); il y a une cabine par langue.
Les traducteurs voient le conférencier et reproduisent par mimétisme les intonations. Ils sont en liaison directe avec le conférencier et envoient le texte traduit à tous les participants. Ceux qui écoutent sélectionnent la langue sur leur clavier.

▲ Les accès

Les accès sont multiples pour que les mouvements ne gênent pas les travaux.

▲ La lumière, le confort

— La lumière naturelle est préférable à la lumière artificielle. La salle ici est équipée d'une verrière (8).

— La salle doit pouvoir être occultée au moment des projections. C'est le rôle des volets d'occultation (9).

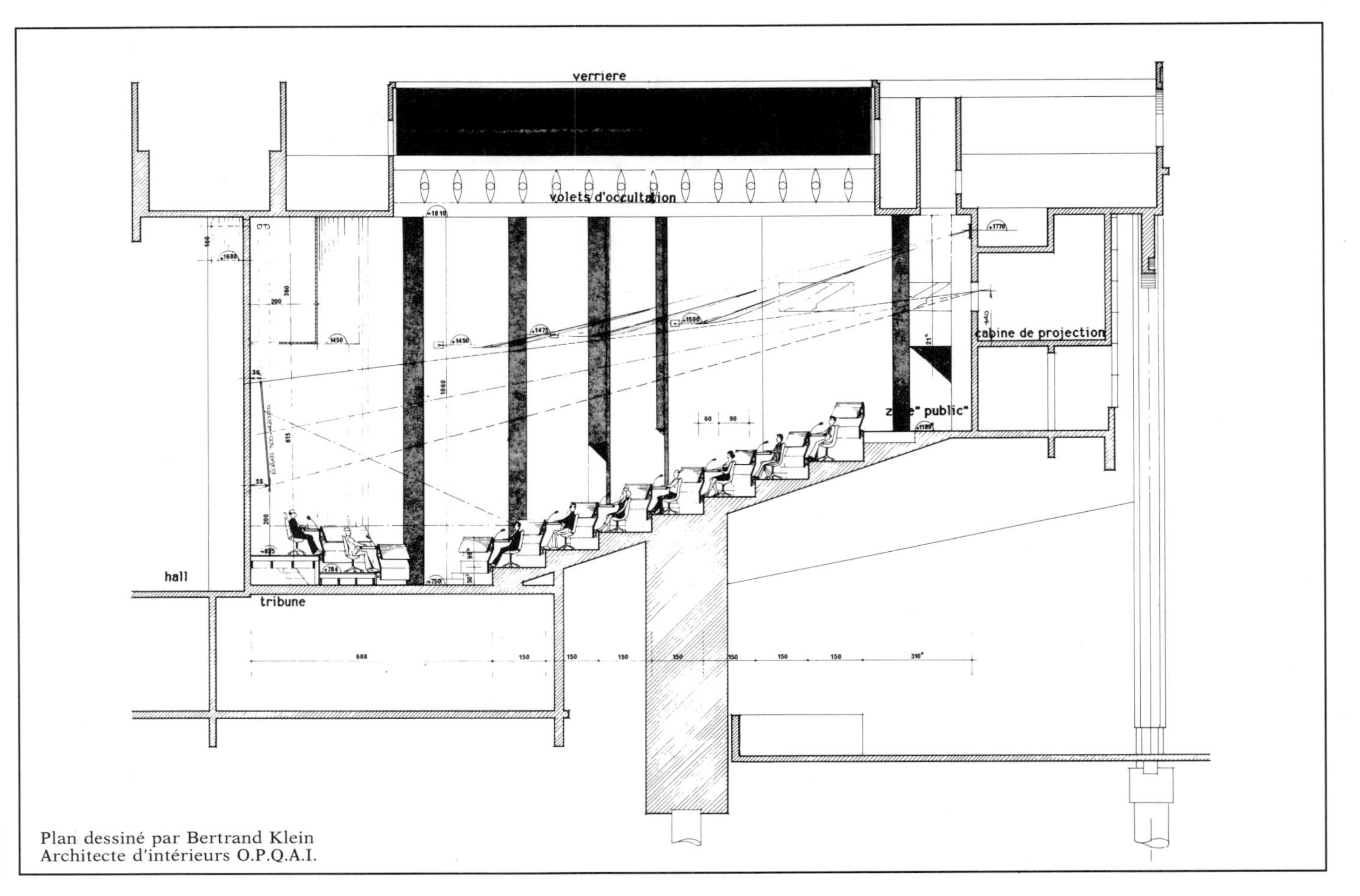

Plan dessiné par Bertrand Klein
Architecte d'intérieurs O.P.Q.A.I.

LA LECTURE D'UNE IMAGE

Pour lire correctement une image on organise sa description selon les trois plans de profondeur.

▲ Les trois plans

— Le premier plan (1)
C'est la partie de la scène dessinée la plus proche du spectateur. Dans cette zone les détails sont très précis. C'est là que se situent souvent les éléments importants de l'image.
— Le troisième plan (3)
C'est le fond de l'image, la zone la plus éloignée du spectateur. Les détails sont peu représentés.
— Le second plan (2)
Il se situe en retrait du premier plan et avant le troisième plan.

Luguy et Léturgie, Percevan. Ed. Glénat.

▲ L'organisation des points d'intérêt

Pour déterminer les éléments essentiels d'une image, on les recherche sur les points d'intérêt. Les points d'intérêt sont situés sur les diagonales de l'image au tiers à partir du point d'intersection de celles-ci.

Les points d'intérêt dans la vignette ci-contre à gauche. (les points d'intérêt d'une image.)

Les points d'intérêt dans la vignette ci-contre à gauche.
les points d'intérêt d'une image.

« Extrait de "SILENCE" par Comès / © Casterman.

POUR DONNER A VOIR : LE PANNEAU ILLUSTRATIF

La disposition verticale

Divise le panneau en cinq à huit colonnes. Elle donne une impression de rigueur, de précision scientifique. On l'utilise à chaque fois que les informations doivent être classées par rubrique. La lecture se fait colonne après colonne.

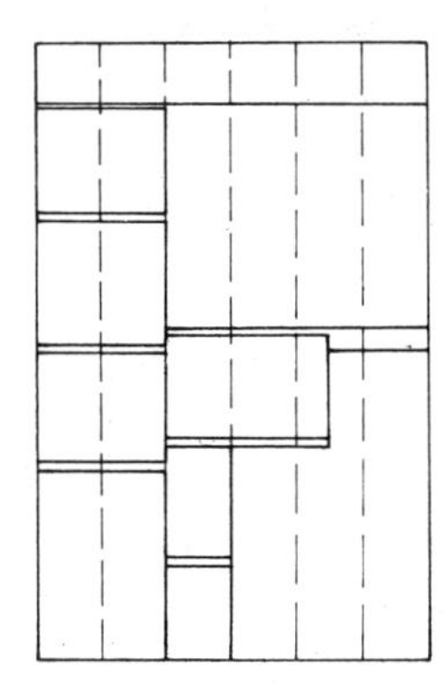

L'information s'organise selon un quadrillage du panneau.
Un panneau comporte entre 10 et 16 masses. On appelle masses les surfaces qui seront posées sur le panneau : titres, sous-titres, textes, illustrations, flèches.

La disposition horizontale

Organise les documents selon les lignes horizontales qui partagent le panneau. Elle suit le sens normal de la lecture. Elle donne une impression rassurante.

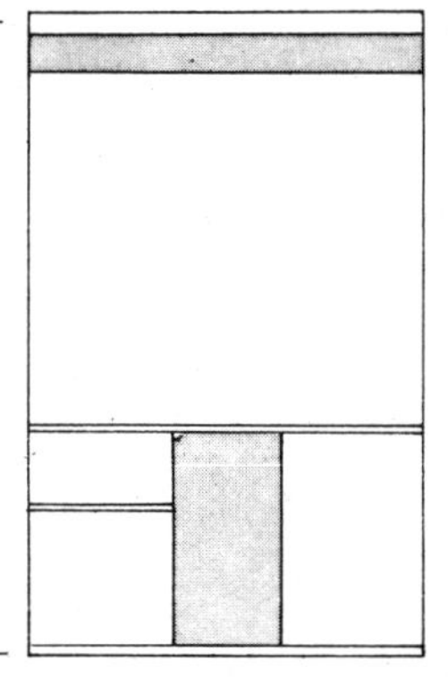

Le jeu des contrastes
— l'opposition des couleurs :
(noir/blanc, bleu/rouge,...),
— l'opposition image et texte,
— l'opposition des scènes de chaque image.

La disposition mosaïque

Offre un éventail de lectures possibles. Elle donne une impression d'éclatement, d'absence de lien entre les informations. Elle laisse le lecteur libre de son cheminement.

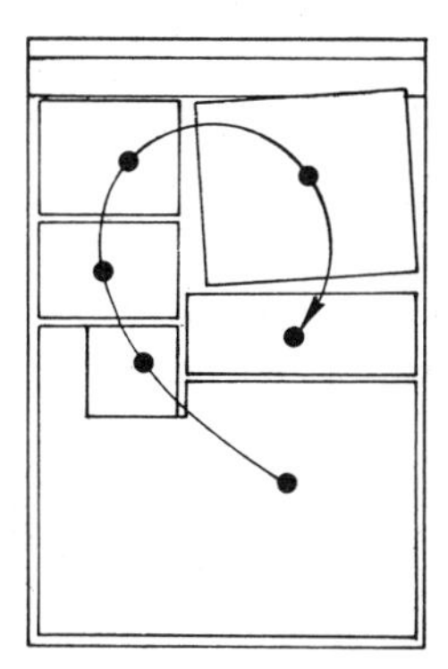

Dans un panneau d'information le titre prend entre le quart et la moitié de la surface occupée (surface occupée = titre + texte ou illustration).
— La lecture d'un panneau :
- à 5 mètres on lit le titre (caractères de 7 cm de haut),
- à 2 mètres on lit les sous-titres (caractères de 3 cm),
- à 1 mètre on lit les textes (caractères de 1 cm de haut).

Les notes, une aide à la communication

Lorsque l'on veut communiquer un message de manière efficace, il est utile de parler à partir de ses notes. Lorsque l'on désire que la présence à une conférence soit utile, on prend des notes.

▲ Des notes pour parler

— **Pourquoi utiliser une fiche de notes ?**
1. Ne rien omettre. Les notes permettent d'avoir présent sous les yeux le fil de son discours. On ne risque pas de s'égarer ni d'oublier un point de sa communication.
2. Faciliter la mémorisation. Le fait de noter son discours mobilise plusieurs sens : la vue ou l'ouïe, et le toucher.
3. Rassurer pendant la prise de parole. La fiche de note est une aide matérielle qui sécurise celui qui doit parler.

— **Comment organiser sa fiche de notes ?**
Sur quoi noter ? Utiliser des fiches de même format. Les petits formats permettent de tenir les fiches dans la main pendant qu'on parle.
Que noter ? Les idées essentielles. Ce qu'on ne doit pas oublier de dire. Les mots exemples : ce sont des mots qui évoquent une situation qu'on va présenter comme exemple. Les données chiffrées. Les sources d'information.
Comment noter ? N'écrire que sur un seul côté de la fiche, numéroter les fiches. Un seul aspect du problème par fiche.
Organiser la fiche, elle doit ressembler à la table des matières d'un livre. Utiliser des couleurs différentes pour les idées et les mots exemples. Prévoir une marge pour ajouter des remarques après la prise de parole.

▲ Des notes pour écouter

— **Pourquoi prendre des notes ?**
1. Acquérir l'esprit de synthèse. La prise de notes entraîne à ne relever que les mots clés d'un discours.
2. Préparer une intervention orale. Lorsqu'on est en désaccord avec les idées de celui qui parle, on inscrit en marge de la prise de notes l'argument qu'on pourra opposer.
3. S'y reporter par la suite.

— **Comment prendre des notes ?**
Sur quoi noter ? Utiliser un bloc-notes ou des feuilles de même format.
Que noter ? Les références de la prise de notes (date, auteur, thème, support - conférence, ouvrage, émission, TV,...) L'organisation du discours : les grands thèmes, les informations nouvelles. L'essentiel du sujet. Les questions que l'on se pose pendant l'exposé.
Comment noter ? N'écrire que sur un seul côté des feuilles. Numéroter les feuilles lorsqu'elles sont séparées. Employer les abréviations usuelles les signes mathématiques. Inventer des abréviations propres à l'exposé, en début de la feuille de notes.

DEUX MÉTHODES POUR PRENDRE DES NOTES

La technique des phrases-formules

— Ecouter attentivement avant d'écrire.
— Rassembler la pensée de l'orateur en phrases courtes, une idée par phrase.
— Numéroter les phrases.
— Etre attentif à l'intonation des propos.
— Etre attentif à la structure du message qui indique les moments de synthèse.
— Etre attentif à l'emploi des mots d'articulation (d'abord, ensuite, en outre).
— Etre attentif à la répétition de certains propos.
— Etre attentif aux exemples, aux analogies qui permettent de mieux comprendre.

— Cette technique permet de retenir les points forts d'un message. Elle mobilise l'écoute, l'esprit d'analyse et de synthèse.
Les phrases-formules sont faciles à mémoriser. La reformulation est une action personnelle, une gymnastique de l'esprit propre à maintenir l'attention en éveil.
L'inconvénient : la structure de l'exposé disparaît.

La prise de notes fonctionnelle

— Diviser la page en 3 ou 4 parties.

— Attribuer une fonction à chaque partie :
à gauche : les titres et les sous-titres des parties principales, les abréviations particulières et leur sens,
au centre : les notes,
à droite : des observations personnelles, des questions à poser,
en bas : des conclusions personnelles, la synthèse faite lors de la relecture.

— Cette technique facilite une bonne concentration à l'écoute, car celui qui note est obligé de classer les informations. Elle permet un tri immédiat et elle invite à compléter les notes.
Elle peut s'utiliser lors d'une conférence, d'un discours, d'une réunion, d'un face à face, d'une interview, d'une émission.

ENTRAÎNEZ-VOUS

Choisissez une émission de radio ou de télévision (chronique politique, enquête de société, critique d'un livre ou d'un film) et prenez des notes à partir de l'argumentation proposée.
Choisissez un point de vue personnel sur le sujet et regroupez les informations prises en notes.
A partir de ce regroupement, défendez oralement votre point de vue par un exposé de quatre ou cinq minutes.

CORRIGÉS DES EXERCICES

page 7

1. La sympathie - 2. le refus - 3. la mauvaise humeur - 4. la peur - 5. l'astuce - 6. le recueillement - 7. la moquerie - 8. le dénigrement - 9. l'autorité.

page 9

C : est le plus timide, ses gestes d'autocontact traduisent son malaise.
A : est le plus agressif, ses gestes expriment aussi une certaine ironie.
B : est le plus ouvert à la discussion.
En situation réelle, la gestuelle est une combinaison complexe de gestes et chaque intervenant peut varier au cours des différentes phases du débat.

page 11

A : j'en mettrais ma main au feu.
B : tu peux toujours courir !
C : tu veux un marron ?
D : non, mais ça va pas ?
E : je le jure.
F : ce n'est pas possible, je vous jure !

page 13

Il faut que je te raconte ce qui m'est arrivé l'autre soir. Je suis rentrée du travail vraiment exténuée, avec en plus ce trajet en métro ! Je rentre enfin, mets mes pantoufles, je me sers un petit cognac et je m'installe dans le fauteuil devant la télé. C'était mon feuilleton préféré. Dix minutes, un quart d'heure se passent, c'est alors que j'entends frapper. Etonnée, je cherche d'où peut provenir ce bruit, je vais même jusqu'à taper dans le téléviseur. Je coupe et je continue de chercher, de plus en plus intriguée. C'est alors que je vois un clou sortir du plafond. Je saisis la canne de mon grand-père et je me mets à taper. Cela n'a pas duré longtemps, ma canne est restée clouée au plafond !

page 23

1. Il s'agit de corriger l'interprétation fautive.
2. On minimise un argument imparable afin d'en réduire la portée.

page 31

Tiens, à propos de rumeur, j'en ai une bien bonne à te raconter. Tu sais, c'est une histoire de déformation de l'information. Ça se passe rue Saint-Denis, il y a cinq ou six ans. Madame M. se promenait comme elle le fait tous les après-midi, lorsque, tout à coup, boum ! Un terrible accident. T'aurais vu ça ! Un camion percute une automobile, renverse un échafaudage et termine sa course en défonçant la devanture d'une épicerie. Je ne te dis pas le nombre de blessés ! Les gens se précipitent sur le trottoir pour voir, comme toujours. Sur le seuil du « Chat noir » apparaissent monsieur Paul et madame Z. Tu penses si madame M. les aperçoit ! Elle se précipite chez une commère pour lui raconter ce qu'elle vient de voir. Non pas l'accident, mais la présence de monsieur Paul et de madame Z au « Chat noir ». Alors tu vois que les nouvelles colportées prennent parfois des chemins de traverse.

page 37

1. — Le contrat intermittent est-il un contrat à durée indéterminée ?
— Toutes les entreprises peuvent-elles conclure des contrats de travail intermittent ?
2. — question ouverte
— question ouverte
— question fermée
— question fermée.

page 39

1. Il s'agit d'une fausse question. Elle est interronégative. La négation oriente la réponse.

2. Il s'agit là encore d'une fausse question. La seconde question implique une réponse positive à la première.

page 41

1. — question fermée.
   — question fermée
   — question ouverte
   — question ouverte

} les réponses sont subjectives

2. — Etes-vous favorable à la mode ?
   — Pourquoi les gens sont-ils opposés à la mode ?
   — Qu'est-ce que la mode ?

page 47

1. Phrase 1 : vous vous adressez à un interlocuteur tourné vers l'action, il n'aime pas perdre du temps.
Phrase 2 : vous vous adressez à un interlocuteur sensible aux aspects humains. Il aime bavarder avant d'entamer les discussions.
Phrase 3 : vous vous adressez à un interlocuteur centré sur les idées. Il aime les analyses.
Phrase 4 : vous vous adressez à un interlocuteur tourné vers les méthodes. Il aime qu'on lui expose la situation avec clarté.

2. Je suis absolument convaincu d'une chose : une semaine de repos vous est indispensable.
Il y a un mois vous étiez en mesure de mener de front plusieurs projets. Aujourd'hui vous accumulez du retard. Un peu de repos vous rendrait votre dynamisme.
Le moral de l'équipe est en baisse. Votre mauvaise humeur provient sûrement de votre fatigue. Une semaine de congé ferait du bien à tous.
D'un point de vue stratégique, il serait bon que vous vous absentiez quelques jours. Par ailleurs cela vous permettrait de vous reposer.

page 67

1	réponse investigatrice
2	réponse jugement moral
3	réponse solution au problème
4	réponse qui interprète
5	bonne attitude d'écoute
6	réponse soutien

page 69

Si vous obtenez une majorité de non, vous faites partie des dynamiques, de ceux qui ne craignent pas d'exprimer leur point de vue.

page 71

1. La formation que j'ai eu la chance de suivre m'a apporté une confiance en moi que je n'avais pas auparavant. Si ce nouvel état d'esprit n'a pas encore eu à se manifester, c'est que l'occasion ne m'en a pas encore été donnée, dans le cadre du travail. L'amélioration des résultats pourrait être obtenue en me confiant davantage de responsabilités dans l'organisation de mon travail. C'est ce qu'on m'a appris durant le stage.

2. Vous avez parfaitement raison, monsieur l'agent, j'ai commis une faute de conduite grave, impardonnable. Je peux tout au plus l'expliquer par le fait que je ne suis pas de la région. Je cherchais ma route. Je n'ai pas suffisamment prêté attention à la signalisation.

page 73

On peut choisir le style directif si l'on souhaite particulièrement être guidé dans son travail sans avoir à se poser de questions d'organisation.
On peut choisir le style coopératif lorsque l'on souhaite avoir une responsabilité dans la production d'un groupe. L'animateur coopératif demande plus de travail à ses stagiaires puisqu'ils doivent aussi résoudre les problèmes de méthode.

page 77

Si vous avez coché plus de oui que de non, vous avez eu affaire à quelqu'un de compétent en matière d'animation de réunion.

page 81

Dans cette représentation de la circulation de la parole dans le groupe on distingue le leader A. C'est lui qui reçoit et qui émet le plus de messages. On repère aussi tout de suite les isolés que sont I et F, aucun message n'est émis.
Les deux sous-groupes sont constitués par BCHG et PONMKL.

page 85

Le groupe fonctionne bien.

	oui	non
décision en commun	+	
choix des méthodes	+	
coopération active	+	
échanges à sens unique		–
échanges réduits		–
baisse du travail		–
agressivité		–
passivité		–
initiatives	+	
efficacité	+	
satisfaction	+	

page 87

On peut joindre à la convocation :
les statistiques des décès causés par le tabac, celle des handicaps sociaux dus au tabac, le nombre des interventions chirurgicales causées par le tabac, le nombre de journées de travail perdues pour troubles de santé dus au tabac,...

page 89

Documents à joindre à la convocation : une photocopie des conventions régissant la durée du travail dans la branche professionnelle, une étude de coût supplémentaire en cas de diminution de la durée du temps de travail, une prévision de l'incidence sur la production, sur l'emploi, sur les salaires.

Les personnes à convoquer : les représentants du personnel, les délégués syndicaux, l'encadrement, l'inspection du travail, des intervenants extérieurs chargés des études, du projet.

page 103

Avant la négociation, les deux partenaires se trouvent en difficulté. Leur association pourrait permettre à l'un de mieux faire connaître le matériel fabriqué et à l'autre de distribuer un produit performant. Le point de désaccord concerne le label. M. Gibet n'a pas l'intention de rompre la négociation. La menace de retrait a pour but de faire reculer M. Balt.

page 105

Dimensions : 22 cm; lieu d'édition : Neuilly-sur-seine; cote : 621.8 LAC (CDU); auteur : LACAS (Louis); sujet : énergie; date de parution : 1980; nombre de pages : 224 p.; le livre est illustré : ill; collection : (Rustica sens pratique).

page 125

1. Un graphique circulaire, après avoir transformé les valeurs absolues en valeurs relatives.

2. Un graphique en barres permettra les comparaisons entre les deux temps de prestation pour une durée de deux ans.

page 129

Commentaire du schéma écrit

Une loi du 3 janvier 1986 élargit le contenu du droit d'expression des salariés à la définition des actions à mettre en œuvre pour améliorer les conditions de travail.
L'expression est directe, le salarié s'exprime sans l'intermédiaire d'un représentant, elle est aussi libre, c'est-à-dire que les opinions émises ne peuvent entraîner aucune sanction à l'encontre de celui qui a parlé.
L'expression est collective, elle s'exerce en groupe au cours de réunions prévues à cet effet.
L'expression se fait sur les lieux de travail, et durant le temps de travail. Le temps de la discussion est payé comme temps de travail.
L'expression porte sur le travail, sur son organisation, son contenu, les conditions qui pourraient être améliorées.

Commentaire du schéma graphique

Dans l'entreprise, la relation s'établit entre trois partenaires : la direction, les syndicats et le personnel. Entre la direction et les syndicats, le dialogue permanent est souvent transformé en affrontements idéologiques. Les représentants des syndicats et les cadres (représentants de la direction) se trouvent en position de concurrence vis à vis du personnel. Les premiers transmettent les revendications des salariés vers le syndicat et organisent la lutte du personnel. Ils ont une influence sur le comportement du personnel. Les cadres transmettent les informations de la direction vers le personnel. Ils informent aussi la direction des problèmes du personnel. Dans les deux cas, le personnel ressent comme une frustration l'exercice du pouvoir qu'il soit syndical ou d'encadrement.

page 133

1. Pour présenter un projet d'informatisation d'un service, on utilisera plutôt une image de visualisation. On présente sous forme d'organigramme le nouveau fonctionnement du service. A cette fin on emploie la rétroprojection. Le transparent peut être à volets, ce qui permet de rendre le schéma de plus en plus complexe.

2. Pour présenter une machine on utilisera une image d'illustration. Elle viendra rendre le discours plus concret. A cette fin on peut user d'un film court ou plus simplement d'une diapositive.

INDEX

Illustration : Laurent Bidot
Maquette : Françoise Boyriven
Édition : Sylvie Ogée

Les Repères Pratiques Nathan

1. La Grammaire Française
2. La Communication Orale
3. La Correspondance
4. L'Histoire de France
5. La Géographie de la France
6. La Législation du Travail
7. Les Institutions de la France
8. Les Mathématiques
9. La Communication par l'Image
10. Le Précis d'Orthographe
11. Le Guide de l'Europe des 12
12. Le Corps humain
13. Le Précis de Comptabilité
14. Le Précis d'Économie
15. La Géographie de l'Europe des 12
16. La Pratique de l'Expression écrite
17. La Littérature française
18. La Correspondance commerciale anglaise
19. La Pratique du vocabulaire anglais
20. Le Précis du vocabulaire français

Achevé d'imprimer par Corlet, Imprimeur, S.A.
14110 Condé-sur-Noireau (France)
N° d'Éditeur : 10008330-(V)-45-(OSB)-80-CM - N° d'Imprimeur : 4345 - Dépôt légal : avril 1992
Imprimé en C.E.E.